À Louise et à Annie

PRINCIPES D'ANALYSE SYNTAXIQUE

PRINCIPES D'ANALYSE SYNTAXIQUE

par

JEAN-PIERRE PAILLET et ANDRÉ DUGAS

1973
LES PRESSES DE L'UNIVERSITÉ DU QUÉBEC
C. P. 250, Succursale N, Montréal 129, Qué., Canada

Maquette de la couverture : SERGE APRIL

ISBN 0-7770-0108-X

Tous droits de reproduction, de traduction
et d'adaptation réservés © 1973
Les Presses de l'Université du Québec

Dépôt légal — 3e trimestre 1973
Bibliothèque nationale du Québec

AVANT-PROPOS

Ce livre est un résumé des nombreuses lectures, prises de notes, prises de conscience, réflexions, conversations et prises de
position nécessaires pour préparer les cours d'Analyse syntaxique et
de Syntaxe générale que nous donnons à l'Université Carleton (Ottawa)
et à l'Université du Québec (Montréal). Nous nous sommes aperçus que
nos conceptions étaient suffisamment proches pour être compatibles et
suffisamment différentes pour maintenir la redondance à un niveau to-
lérable. Voici donc le résultat de notre exercice de coopération.

Ce livre a été conçu pour trois types différents d'utilisation.
Il peut servir de manuel pour un cours d'introduction à la syntaxe:
c'est ainsi que les auteurs l'utilisent dans des cours d'une durée
variant de quarante-cinq à quatre-vingt-dix heures. Il a aussi été
utilisé comme guide de lecture pour l'étude personnelle.

Dans ces deux usages, l'enseignant ou l'étudiant s'appuiera sur
le texte sans nécessairement approfondir tous les points présentés.

On peut aussi utiliser ce livre, dans un séminaire de niveau
plus avancé, comme prétexte à la discussion sur la théorie linguistique. Dans ce cas, on considérera le gros de l'ouvrage comme un
résumé des connaissances supposées acquises, et l'on s'attachera à
examiner de manière approfondie les remarques et suggestions éparses
dans le texte.

De même, les textes de référence et les sujets de réflexion offerts à la fin de chaque chapitre se prêtent à un double usage: renforcement de l'étude du texte pour les débutants, occasion de travail personnel et d'exercice critique pour les étudiants plus avancés.

Le plan que nous avons choisi implique une progression dans l'acquisition des concepts utiles en syntaxe; l'étudiant comme l'enseignant pourront toutefois considérer cet ouvrage comme un *smorgasbord* de réflexions syntaxiques. Nous espérons simplement qu'il ne sera ni insipide ni indigeste.

Nous avons ajouté comme outils supplémentaires, à l'intention surtout du travailleur isolé, un index des notions et une bibliographie sommaire. Le lecteur trouvera dans celle-ci quelques ouvrages qu'il pourra utiliser comme guides quand il aura dépassé le niveau élémentaire.

*   *   *

Il nous reste la tâche la plus agréable à accomplir. Comme une source qui rassemble en un point l'eau recueillie sur toute la pente d'une montagne, un livre représente la synthèse d'innombrables contributions, pour la plupart inconscientes. Que tous nos professeurs, collègues et amis sachent donc que notre gratitude leur est acquise, dans une mesure variable certes, mais que nous-mêmes ne pouvons évaluer.

Nous devons remercier plus spécialement nos étudiants, qui nous ont obligés à étudier la syntaxe, et les secrétaires sans lesquelles nous ne serions pas parvenus jusqu'à la forme dite finale du manuscrit.

Ce livre est dédié à nos épouses. Elles savent traiter avec patience et humour nos obsessions de linguistes: nous pensons qu'elles recevront aussi avec humour ce fruit de nos obsessions.

J.-P. P. et A. D.

LA LINGUISTIQUE EST L'ÉTUDE SCIENTIFIQUE DU LANGAGE HUMAIN

1. Actes de parole

a. Pour démontrer un cas typique de l'utilisation du langage humain, Bloomfield raconte une petite histoire:

> Jack et Jill se promènent dans une allée. Jill a faim. Elle aperçoit une pomme dans un pommier. Elle fait du bruit avec le larynx, la langue et les lèvres. Jack enjambe la clôture, grimpe dans l'arbre. Il cueille la pomme et l'apporte à Jill. Jill mange la pomme.

Cette petite histoire met en évidence le fait, souvent répété mais malgré tout ignoré la plupart du temps, que la notion abstraite <u>langage humain</u> réfère à une réalité qui se manifeste concrètement par des types spécifiques d'interactions humaines. Puisqu'il en est ainsi, toute étude du langage devra s'appuyer sur sa manifestation dans de telles interactions, c'est-à-dire sur les actes de parole individuels.

Ces actes de parole révèlent plusieurs aspects. À partir de notre propre expérience des actes de parole, comme locuteurs ou interlocuteurs, nous savons que ces actes comportent des processus psychophysiologiques très complexes qu'on ne peut observer directement. Ils sont également caractérisés par des "situations" spécifiques, c'est-à-dire certaines conformations de l'environnement de celui qui parle (écrit) et/ou de celui qui écoute (lit). Tout acte de parole implique enfin la production et la perception d'un matériel sonore (ou d'un matériel succédané, par exemple des traces écrites).

b. La description idéale d'un acte de parole ne devrait négliger aucun de ces trois aspects fondamentaux. L'étude de chacun des aspects susmentionnés requiert cependant des outils différents et différentes méthodes d'approche. Ainsi, les deux aspects qu'on peut observer d'une façon immédiate (les situations et l'activité sonore proprement dite) ne peuvent être directement mis en corrélation. D'un autre point de vue introspectif, nous savons également que notre appareil psychophysiologique est très important pour déterminer quelle sorte d'activité sonore correspondra à une situation particulière. Avec beaucoup de justesse, Bloomfield dit du langage qu'il est un moyen de traverser l'intervalle entre différents systèmes nerveux. Les actes de parole constituent la plupart des cas particuliers de passage de cet intervalle, bien que les productions sonores ne soient pas nécessaires dans cette mise en relation des systèmes nerveux.

Il s'est donc avéré nécessaire de détacher de l'étude globale du langage celle des événements sonores qui font partie d'un acte de parole. Ces moments sonores sont en fait le résultat de l'activité du locuteur dans une situation donnée et, à leur tour, provoqueront, le cas échéant, une certaine activité chez l'inter-

locuteur dans une situation donnée. Il faudrait donc, à toutes fins
utiles, étudier l'activité du locuteur et celle de l'interlocuteur
puisque c'est là le seul moyen de savoir vraiment comment le langage
remplit son rôle. Il faut aussi espérer que les propriétés des événements sonores de la parole s'avéreront être dans une large mesure
une conséquence des types d'activité impliqués dans l'émission (*spea-
king*) et la réception (*listening*). L'étude d'une telle activité doit
reposer cependant sur des preuves indirectes obtenues pour la plupart
en psychologie expérimentale. Pour décrire les phénomènes étudiés en
psychologie expérimentale du langage, il sera nécessaire d'avoir un
cadre de référence indépendant pour la description des moments sonores
de parole. C'est ce qui justifie sans doute le mieux l'étude de la
grammaire[1].

c. Nous avons besoin, par ailleurs, de considérer beaucoup d'autres
phénomènes qui sont reliés à la parole mais ne sont pas directement
observables: pour y arriver, on a depuis longtemps élaboré des
notions abstraites telles que celle de <u>sens</u> (*meaning*). La plupart
de ces notions demeurent intuitives et l'étendue de la signification
des termes utilisés porte souvent à controverse. Il serait peut-être
difficile d'éviter tout usage de ces termes dans une étude linguistique mais il faut préalablement, dans la mesure du possible, clari-
fier ou spécifier les notions que recouvrent les termes utilisés dans
la recherche.

La tâche du linguiste apparaît donc être axée sur deux
pôles: l'un concerne l'observation des événements sonores concrets

---

1. Naturellement, une bonne étude grammaticale peut servir à bien
d'autres fins, en vue, par exemple, de l'enseignement d'une
langue, de l'étude de textes littéraires, ou de la manipulation
automatique de textes au moyen de machines dont la structure
interne est peut-être très différente de celle des cerveaux
humains.

associés à des actes de parole qui fournissent une partie des faits objectifs de base nécessaires à l'étude du langage; l'autre concerne une meilleure compréhension et une meilleure utilisation des notions abstraites qui nous viennent de l'usage commun et qui, bien qu'elles ne soient qu'intuitives, reposent sur l'expérience humaine unique qu'est l'interaction par le langage.

2. Étude scientifique

a. Toute étude scientifique vise à la connaissance systématique de l'univers; c'est-à-dire qu'elle cherche à réduire les différents aspects des événements observables à des principes de base.

Tout le monde sait, par exemple, que si, dans des conditions normales, on lâche un objet, cet objet tombe. Les connaissances primordiales de ce type suffisent à l'organisation de notre vie quotidienne. Mais les questions sur le comment de la chute des corps restent sans réponse. Une étude scientifique tentera d'abord de répondre à ce genre de questions. Dans ce cas particulier, Galilée a constaté que la durée de la chute de différents objets de dimensions semblables était indépendant du poids de ces objets, si tous les objets étaient lâchés à la même hauteur.

Galilée n'a pu faire cette observation que parce qu'il lui avait été possible de laisser tomber des corps à différentes reprises, en variant la hauteur, et de noter certaines coïncidences régulières entre ces diverses expériences. Généralement, une étude scientifique comporte la recherche d'invariants à travers une série d'événements. Ces invariants consisteront pour la plupart dans la corrélation entre divers aspects des événements (dans l'exemple considéré, entre la

hauteur et la durée de la chute, indépendamment du poids d'un corps).
Le terme phénomène est souvent employé pour désigner un complexe
d'invariants associé à une série d'événements. On peut, naturellement, voir dans un événement particulier plusieurs phénomènes; cela
dépend du point de vue où se place l'opérateur, d'où la nécessité
pour ce dernier d'opérer sur une série d'événements dont les conditions sont spécifiées d'avance: ainsi, il pourra considérer un
nombre restreint de phénomènes. Ceci n'est possible que lorsqu'il
y a récurrence d'événements similaires; c'est pour cette raison qu'on
dit souvent que la science ne concerne que des événements répétables.
Cette répétition peut prendre deux formes. Dans certains cas, le
chercheur peut lui-même créer ou contrôler les conditions favorables
à un événement: il effectue alors une expérience. Dans la plupart
des cas cependant, et plus spécialement dans le domaine des sciences
humaines, il est impossible de créer ou de contrôler directement des
conditions favorables. Le chercheur doit alors observer, c'est-à-dire
surveiller la manifestation d'un phénomène naturel et noter toutes les
conditions, favorables ou non[2]. Puis, il tentera d'établir des corrélations entre certaines des conditions observées.

b. À la suite de ce travail, le chercheur peut proposer un principe
descriptif pour le phénomène. Il faut noter que ce principe ne peut
découler simplement de l'observation d'une série restreinte d'événements; ce principe doit être postulé par le chercheur à partir de
l'observation des régularités: il représente donc le lien entre ces
régularités et une "loi" scientifique, en ce qu'il fait ressortir un

---

2.   D'une façon concrète, il ne peut cependant relever que celles
     qu'il devine être pertinentes à son étude.

aspect des événements parmi d'autres qui souvent interfèrent avec lui dans la réalité[3].

On considérera qu'un tel principe est adéquat s'il confère à l'homme de science la possibilité de "prédire" de nouveaux événements, plus précisément de rendre compte des aspects pertinents d'événements se produisant dans de nouvelles conditions observées ou contrôlées dans une expérience. Cependant, le chercheur ne se contente habituellement pas de ce genre de principes de "premier niveau" et tente d'élaborer des hypothèses de plus en plus profondes afin de rendre compte des principes eux-mêmes. En autant qu'une telle hypothèse donne à l'homme de science la possibilité de relier ou d'unifier des "lois" à priori indépendantes, on peut dire qu'elle fournit une explication plus profonde et plus systématique des phénomènes. Prenons, par exemple, la loi de gravitation de Newton. Cette loi qui concerne à la fois la chute des corps terrestres et les mouvements des corps célestes, nous permet de mieux comprendre la mécanique physique que les deux principes séparés. La loi de gravitation peut à ce point être considérée comme une explication de ces principes.

L'activité scientifique vise enfin à la construction de *modèles*, c'est-à-dire d'objets abstraits intégrant des principes profonds; ces modèles peuvent se concevoir comme des outils permettant la description des événements dans tous (ou presque tous) leurs aspects interactifs.

---

3. Par exemple, dans l'étude de la chute des corps, on tiendra compte de la "résistance de l'air", c'est-à-dire qu'on attribuera expressément des différences entre temps de chute à un autre principe qui fera l'objet d'une étude séparée.

3. L'autophone[4] et sa langue

a. On peut se demander si les gens les plus aptes à étudier une
langue naturelle ne sont pas précisément ceux qui ont un contact
quotidien avec elle, savoir les usagers de cette langue. Mais il
y a au moins deux facteurs qui font que l'usager ordinaire n'est
pas prêt à fournir une description scientifique de sa langue.

Le premier se trouve dans la nature du langage lui-même.
Qu'on décrive le langage comme "um moyen de traverser l'intervalle
entre différents systèmes nerveux" ou comme "un outil de communication", il est clair qu'il ne constitue certainement pas une fin
en soi, surtout dans l'utilisation quotidienne qu'on en fait. Nous
l'avons noté en 1 : la production d'événements sonores ne constitue
pas l'élément central des interactions de parole; cette activité
sonore est plutôt un produit secondaire de cette interaction. Il
s'ensuit que l'attention du locuteur/interlocuteur se dirige non
sur les sons en eux-mêmes mais plutôt sur le "propos" ou la "signification". Il est facile de s'en convaincre par diverses expériences. Une des plus courantes concerne la sensation bizarre que l'on
éprouve quand on entend hors contexte plusieurs fois de suite un ou
plusieurs mots, même familiers comme *copain*. De nombreuses autres
expériences ont prouvé que quelqu'un peut rater l'audition de sons
étrangers au discours ou au contraire, s'imaginer entendre des sons
significatifs mais retranchés, pour l'occasion, de la suite sonore;
à partir d'un texte écrit, nous pouvons faire une expérience similaire:

---

4. Sur le modèle du mot *autochtone*, nous utiliserons autophone
   pour désigner un individu dont la langue étudiée est la langue
   maternelle (*native speaker*).

VENTE SPÉCIALE DE
DE MEUBLES ANCIENS

La plupart des lecteurs n'auront pas remarqué que le mot DE a été
inscrit deux fois.

b. Deuxième facteur: il arrive parfois qu'un locuteur porte son
attention sur les événements sonores eux-mêmes. Cela peut se produire parfois à l'audition d'un disque ou lorsque quelqu'un met en
question les expressions du locuteur, comme le font souvent linguistes et étrangers. Le locuteur proposera souvent dans ces cas
une explication de ce qu'il a dit (à moins qu'il ne vous envoie
promener de peur que ses propos ne soient mal interprétés). Dans
la plupart des cas, ses remarques consisteront à paraphraser le
"sens" qu'il voulait donner à ses propos et à justifier d'après ce
"sens" les termes qu'il a utilisés. En général, les locuteurs
parleront aussi de l'origine du "sens" de leurs expressions. De
telles réactions s'avèrent très utiles aux psycholinguistes et aux
sociolinguistes quand ils cherchent à déterminer des constantes se
rapportant au comportement et aux attitudes des locuteurs envers
leur langue maternelle. Elles n'apportent cependant pas en elles-
mêmes des renseignements utiles à l'étude de l'expression linguistique proprement dite; en effet, ces remarques sont des explications
ou des commentaires ad hoc plutôt que des énoncés des régularités
qu'on pourrait observer dans une série d'événements de parole.

En conséquence, on peut dire que le locuteur, même s'il
possède une certaine perspicacité au sujet de sa langue, profite
rarement de cet avantage et n'en demeure pas moins un locuteur
"naïf". S'il veut devenir un chercheur en linguistique, il lui faut

1º le sens aigu de l'observation de l'expression linguistique;

2º l'aptitude à l'étude de séries d'événements comparables.

À propos du second point, le chercheur a un avantage lorsqu'il décrit
sa propre langue puisqu'il peut conduire ses propres *expériences* sur
diverses expressions, alors qu'il devra se contenter *d'observer* les
expressions d'une langue étrangère dont il n'aura pas entièrement le
contrôle.

4. Étude scientifique des résultats d'actes de parole

En bref, l'étude scientifique d'événements sonores associés
à des actes de parole d'une langue donnée commence par la collection
d'échantillons. Il se peut que cette collection doive être menée par
tranches successives, puisque parfois certaines des observations subséquentes nécessitent une nouvelle collection[5]. Il arrive dans
certains cas, par exemple quand une langue n'est plus parlée, que les
échantillons forment une collection fermée. Cet état de choses peut
paraître idéal: il permet une étude exhaustive; mais c'est en fait
un obstacle, parce que les données peuvent être inadéquates pour la
solution de problèmes importants surgissant en cours d'étude.

L'examen d'une collection d'échantillons servira à révéler
des régularités de toutes espèces. Elles s'énoncent dans des formules appropriées qui formeront alors une description succincte de cette
collection. De plus, on peut considérer ces formules comme des hypothèses sur l'organisation de la langue en question: nous supposons

---

5. Encore une fois, celui qui décrit sa langue maternelle se trouve
   avantagé du fait que les données lui sont toujours disponibles.

alors qu'elles représentent non seulement notre échantillon mais n'importe quelle possibilité d'événements de parole dans cette langue.

En général, le linguiste s'efforce de rendre compte des formules descriptives élémentaires au moyen d'hypothèses plus développées ou plus étendues sur l'organisation du langage. Ces hypothèses peuvent non seulement s'appliquer à la langue étudiée mais aussi convenir à toute langue humaine: on se trouve alors en présence d'universaux.

La plupart des linguistes s'accordent à désigner sous le nom de *grammaire* le résultat d'une telle activité à propos d'une langue donnée. D'après ce qui a été dit plus haut, une grammaire résulte d'observations et d'hypothèses effectuées sur une collection restreinte de manifestations actuelles ou possibles d'une langue. Cette grammaire doit donc être vérifiée au moyen d'autres collections du même type. Les grammaires connues servent à toutes sortes de fins mais il n'en existe encore aucune qui soit la description complète d'une langue.

5. Place de la syntaxe

a. Certaines des intuitions des locuteurs à propos de leur langue maternelle se rapportent à l'organisation des objets sonores produits lors d'actes de parole. Nous avons noté que l'on ne peut pas toujours se fier à leurs observations dans le domaine qui nous préoccupe (1.4.), mais nous avons également noté qu'il serait intéressant de vérifier leurs notions intuitives, ne serait-ce que pour les élucider.

Dans tout énoncé ordinaire de sa langue maternelle, le locuteur identifiera des parties qui lui sont familières et ce, même si l'énoncé est tout à fait nouveau pour lui. Ces parties peuvent être détachées de l'énoncé et la plupart, sinon toutes, peuvent s'utiliser isolément dans certains contextes. En langage de tous les jours, ces parties sont appelées des mots; bien qu'aucun critère décisif n'ait été fourni pour l'identification des mots, tout locuteur a une idée précise de ce qui constitue ou non un mot dans sa langue maternelle[6].

Il faut dire maintenant que pour former un énoncé, les mots, ou les formes libres minimales ne se combinent pas de toutes les façons possibles; par exemple, *Paul est niaiseux* mais non *Paul niaiseux est*. L'étude des combinaisons appropriées de mots est traditionnellement appelée *syntaxe*.

Des observations des plus élémentaires font voir que les mots eux-mêmes ne sont pas nécessairement simples. D'une part, on peut alléguer que *parle* et *parlait*, par exemple, sont en fait un même mot mais avec des propriétés différentes[7]. On devra donc caractériser la manière dont des objets différents en apparence réfèrent au "même mot". D'autre part, il est possible de reconnaître dans certains mots des parties qui apparaissent aussi dans d'autres mots

---

6. Bloomfield, dans la recherche d'une notion descriptive aussi proche que possible de cette connaissance intuitive du mot, suggère celle de la forme libre minimale, élément linguistique dont la présence ou l'absence dans un énoncé reste indépendant de la présence ou de l'absence d'un autre élément d'une espèce particulière. Cette définition ne paraît pas toujours correspondre à l'intuition du locuteur, mais ici elle nous suffit.

7. Aristote distinguait ainsi les verbes des temps verbaux.

et qui possèdent, semble-t-il, des propriétés spécifiques (par exemple, *recevoir, percevoir, décevoir, déplacer, remplacer, renvoyer,
envoyer, endurer, perdurer*, etc.).   Il faudra donc procéder à l'identification de ces éléments et, autant que possible, spécifier leurs
propriétés, en plus de celles des mots.   Cette étude se rattache à
ce qu'on appelle la morphologie.

b.   Il faut remarquer que les notions de syntaxe et de morphologie
ont été introduites naguère pour l'étude de langues, comme le grec et
le latin, dans lesquelles la forme des mots était essentielle pour la
compréhension du message, tandis que les propriétés combinatoires des
mots étaient relativement libres de contraintes.   Dans ce contexte,
la syntaxe est vraiment considérée comme une étude subsidiaire par
rapport à celle, largement développée, de la morphologie.

Il en va cependant tout autrement dans d'autres langues
dans lesquelles la forme des mots varie très peu (ou peut même ne pas
varier du tout); la transmission du message dépend alors des seuls
arrangements spécifiques des mots.   Dans la plupart des langues, les
rôles respectifs de la morphologie et de la syntaxe se placent entre
ces deux extrêmes.

Il faut signaler un autre point important: la démarcation
entre la morphologie et la syntaxe n'est pas aussi nette qu'on pourrait le penser.   La difficulté d'établir une frontière entre ces deux
domaines est à mettre en parallèle avec celle que l'on a à définir
le mot.   Voyons un exemple en anglais:

The Hudson's Bay Company's stores are all very expensive.

Certains des éléments qui composent cet exemple sont facilement identifiés comme des mots: *Hudson, Bay, Company, stores, expensive.*   La
combinaison *Hudson's Bay Company* relève de la syntaxe.   Par contre,

l'élément *'s* après *Company* n'est certainement pas un mot ni un élément libre minimal; l'étude de l'emploi de cet élément et des propriétés qui lui sont rattachées doit donc relever de la morphologie. Il apparaît que l'opposition syntaxe/morphologie, où la morphologie se restreindrait à l'organisation interne des mots et la syntaxe à la combinaison de ces mots, est en fait assez simpliste. Les phénomènes morphologiques et syntaxiques semblent être en constante interaction.

Certains linguistes pensent qu'il n'est pas nécessaire de maintenir cette opposition. Ils proposent d'étudier les phénomènes morphologiques et syntaxiques en un seul bloc (*morphosyntaxe*) opposé seulement à celui des phénomènes phonologiques. Cette solution à l'emporte-pièce laisse cependant ouvert le débat sur la définition des mots, que, nous venons de le constater, les usagers naïfs d'une langue semblent reconnaître avec facilité.

Une façon de trancher temporairement ce débat consiste à maintenir cette distinction en se rappelant toutefois que la morphologie et la syntaxe représentent non des secteurs indépendants mais des points de vue différents d'un même secteur d'étude.

Textes de référence

Bloomfield (1933), chapitres 2 et 12
Harris (1951), chapitre 2
Martinet (1960), chapitre 2

SUJETS DE REFLEXION

1.   a)   Mettez en relation les notions de <u>langage</u>, <u>langage humain</u>,
           <u>langue</u>, <u>parole</u>, <u>message</u>, <u>communication</u>, <u>acte de parole</u>,
           <u>grammaire</u> et <u>syntaxe</u>.

      b)   Comment s'applique à la linguistique la distinction entre
           <u>observation</u> et <u>expérimentation</u> dans l'analyse scientifique ?

2.   Quels sont les points de comparaison intéressants entre <u>morpho-
      logie</u> et <u>syntaxe</u>.

3.   Illustrez le fait que la description scientifique d'actes de pa-
      role se rattache uniquement aux <u>résultats</u> de ces actes sans pou-
      voir expliquer le <u>comment</u> ou le <u>pourquoi</u> de ces actes.

4.   Quels sont les critères qui permettent au locuteur d'identifier
      intuitivement des "mots"
      a)   quand il sait écrire ?
      b)   quand il ne sait pas écrire ?

5.   À partir de vos connaissances des "mots", fournissez pour un
      court texte (par exemple un message publicitaire à la télé ou à
      la radio) les principaux éléments qui le constituent.

2

LES GRAMMAIRES TRADITIONNELLES

1. Origine et fondements

Notre tradition grammaticale prend ses racines dans les
études de langue amorcées par plusieurs philosophes grecs et surtout
Aristote. Le but poursuivi par ces philosophes était d'étudier les
propriétés d'une langue comme véhicule de la pensée, et spécifiquement d'analyser les relations entre l'organisation des énoncés et les
propriétés de vérité de ces énoncés. On peut donc dire que la tradition grammaticale se fonde au départ sur des données _sémantiques_
associées de très près à des recherches en _logique_. Les titres des
ouvrages d'Aristote sont révélateurs: De l'interprétation, Les catégories, L'analyse.

La description des langues se fonde sur une théorie phonétique et sur une théorie grammaticale. Cette dernière se rapporte
à la combinaison des mots dans des expressions plus larges:

Et de même qu'il existe dans l'âme tantôt un concept
indépendant du vrai ou du faux, et tantôt un concept
à qui appartient nécessairement l'un ou l'autre, ainsi
en est-il pour la parole; car c'est dans la composition
et la division que consistent le vrai et le faux[1].

Les fondements d'une théorie grammaticale se ramènent donc à une théorie des parties du discours qui traitera les mots selon leur catégorie. Les catégories sont établies à partir de critères de sens, de
contenu; selon cette façon de procéder, Aristote détermine quatre parties du discours pour la langue grecque: le nom, le verbe, la con-
jonction et l'article. Ces parties du discours correspondent à "des
pensées pour lesquelles on ne peut déterminer la valeur de vérité".

La combinaison de telles parties du discours donne lieu à
des phrases qui peuvent représenter des pensées ayant valeur de vérité; dans ce cas, elles sont appelées propositions. Ces phénomènes
de combinaison sont entièrement régis par les règles de la pensée.

2. Le développement de la tradition

a. Comme on vient de le voir, Aristote restreignait l'analyse
d'une langue à ce que lui dictaient les objectifs pratiques du philo-
sophe. Son oeuvre eut une influence énorme: plus tard, les grammairiens de tous les pays essayèrent de donner une extension à ses principes pour des analyses plus détaillées de langues diverses. À Alex-
andrie, des chercheurs développèrent la théorie des parties du discours
dont le nombre s'est accru jusqu'à huit dans la première grammaire

---

1. De l'interprétation I, p. 78 (traduction de J. Tricot), Vrin.

grecque d'envergure due à Denys de Thrace (IIe siècle avant Jésus-
Christ).

Dépourvus d'une tradition grammaticale qui leur soit propre
et encouragés par la ressemblance du latin et du grec, les Romains
imitèrent les Aristotéliciens et les Alexandrins. Cependant, leurs
intérêts résidaient plus dans la rhétorique (Quintilien) et dans la
philosophie (Varron, Donat) que dans la logique; c'est à partir de ce
moment que la tradition grammaticale occidentale éprouve des difficultés à concilier la curiosité linguistique avec un cadre théorique plus
apte à l'analyse logique qu'à l'étude du langage. En s'appuyant sur
Aristote qui poursuivait des objectifs très nettement limités, plusieurs chercheurs ont essayé par la suite de trouver des justifica-
tions à un lien systématique entre la logique et la grammaire dans
tous les domaines du langage.

b.   Ces efforts ont parfois conduit à la construction de théories linguistiques très intéressantes et très importantes. Par exemple, dans l'Europe médiévale, les Modistes furent à l'origine d'analyses très détaillées des structures logiques et grammaticales des
phrases, qu'ils effectuaient dans le but de découvrir une relation
cohérente entre la pensée et l'expression. On observe un développement similaire dans les différentes écoles de grammairiens arabes
qui reçurent le cadre d'étude aristotélicien directement des Grecs.

Ainsi apparurent dans les grammaires médiévales certains
concepts très rapprochés de ceux de la linguistique d'aujourd'hui,
dont en particulier, l'emploi d'unités abstraites (c'est-à-dire non
utilisées dans le discours réel) pour rendre compte de l'organisation des énoncés. En général, on remarque cependant que la tendance
des grammairiens fut longtemps d'accepter sans examen critique, comme
système universel, le cadre de travail qui avait été au départ conçu

pour des études assez restreintes de la langue grecque. Même si ce cadre d'étude s'adaptait à des langues similaires comme le latin, on pouvait s'attendre qu'il provoque des distorsions dans la description de langues dont l'organisation était tout à fait différente.

3. Grammaire générale et grammaires particulières

a. La congruence observée (et parfois imposée) entre les descriptions grammaticales de langues diverses, telles qu'on les donnait au Moyen-Âge et dans les temps modernes trouve une explication dans les écrits d'Aristote. Comme nous l'avons noté plus haut (2.1.), les parties du discours correspondaient à différentes sortes de pensées élémentaires; les propositions qui ont une valeur de vérité se composent à partir des pensées élémentaires par des combinaisons appropriées. Pour savoir quelles sont les combinaisons permissibles, il faut alors poser comme hypothèse qu'elles sont régies par les lois de la pensée humaine qui, on peut le penser, sont universelles ou quasi universelles.

b. On vit donc apparaître aux XVIIe et XVIIIe siècles la notion de grammaire générale, en relation immédiate avec la notion philosophique des universaux: la base commune de toutes les langues du monde se verrait explicitée par la science de la grammaire générale. À partir du fait que cette base commune de toutes les langues dépend des lois communes de la pensée humaine, il est possible de considérer la grammaire générale comme une conséquence de la logique[2]. Ainsi,

---

2. Il faut noter la différence avec les buts que poursuivait Aristote quand il étudiait la structure du raisonnement dans les langues naturelles en relation avec la logique et non comme une conséquence de la logique.

la grammaire générale se devait d'être une discipline déductive fondée sur les principes de la logique. Cette façon de considérer la grammaire se manifeste dans le titre de l'ouvrage d'Arnault et Lancelot: <u>Grammaire générale et raisonnée</u>[3].

c. Il n'en demeure pas moins que les langues se différencient dans leur organisation. Ainsi donc, alors que la grammaire générale convenait à la compréhension de la <u>nature</u> du langage humain, il n'y en avait pas moins la nécessité de <u>grammaires particulières</u> convenant, elles, à la description des <u>particularités</u> de chaque langue. Ces descriptions particulières, bien sûr, n'avaient pas besoin de mentionner tous les détails d'une langue puisqu'on considérait que la plupart des faits étaient déductibles, par les principes de la grammaire générale, à partir d'un nombre restreint de faits essentiels. Entre autres, les descriptions syntaxiques se réduisaient souvent à l'énoncé d'un ordre de base des mots et de règles d'accord. La difficulté majeure dans la mise en oeuvre de ce schéma est que les divers auteurs avaient une vue fort différente du concept de grammaire générale. C'est sans doute pour cette raison que les descriptions linguistiques des XVIIe, XVIIIe et XIXe siècles nous semblent souvent assez superficielles ou tout au moins restent toujours insuffisantes pour l'apprentissage d'une langue.

4. Les défauts du système

a. On voit que la division de la grammaire entre sa partie générale et sa partie particulière était une façon intéressante de traiter les différences entre les langues, mais cette solution restait

---

3. Dont le sous-titre est le suivant: "Les fondemens de l'art de parler expliquez d'une maniere claire & naturelle; les raisons de ce qui est commun à toutes les langues, & des principales differences qui s'y rencontrent; et plusieurs remarques nouvelles sur la Langue Françoise."

sujette à de sérieuses difficultés. Plusieurs chercheurs qui s'attachaient à la description de langues assez différentes du latin et du
grec en vinrent peu à peu à formuler des objections selon les deux
points de vue suivants.

La théorie des parties du discours est inadéquate. Selon la
nature de la langue à décrire, on peut reconnaître plus ou moins de
catégories que dans le cas des langues classiques. Si nous voulons
maintenir le principe que les parties du discours doivent se définir
d'une façon sémantique, on doit alors envisager le choix de critères
adéquats pour ces définitions. Très souvent, les critères fournis
par les grammairiens sont insuffisants (par exemple, les grammaires
de notre enfance disaient du nom qu'il était un mot désignant des
personnes, des endroits et des choses); ces critères sont insuffisants
soit parce qu'ils ne permettent pas une classification non ambiguë
(par exemple *bon* peut être un adjectif ou un nom) soit parce que ces
critères s'appuient eux-mêmes sur d'autres classifications qui débor-
dent le cadre de l'analyse (par exemple celle des personnes, des choses, des événements, etc.). Cette situation révélait un autre problème, savoir: est-il vraiment possible de concevoir un ensemble universel de critères pour classer les parties du discours de toutes les
langues humaines? Si oui, les divergences observées entre les langues
font que cet ensemble ne peut être celui qui était utilisé pour le latin ou le grec. Sinon, il faut alors constater que toute la conception de la grammaire générale est mal formulée.

Les problèmes concernant le principe de la grammaire générale sont également apparents quand on observe que le raisonnement
logique ne suffit pas à dériver les propriétés grammaticales d'une
langue à partir de définitions sémantiques des parties du discours.
Les grammairiens font alors appel à la notion d'usage pour dire qu'il
existe de telles propriétés non explicables. Dans leur conception,

l'usage échappe visiblement à toute généralisation logique; la seule ressource à leur disposition est alors de fournir des exemples pour illustrer les régularités observées.

Le deuxième point de vue concernant les insuffisances du système se ramène à l'observation des divergences entre les catégories postulées pour la pensée et les régularités d'expression d'une langue. Alors que le premier type d'objections s'adressait plutôt à la conception d'une grammaire générale, le second type d'objections met l'accent sur la variabilité presque sans limite des grammaires particulières. C'est ainsi que Jespersen dans The Philosophy of Grammar critique Sonnenschein parce que ce dernier classe la forme anglaise *him* comme un datif ou un accusatif selon le cas particulier relevé dans l'usage, alors que la forme de la langue (*him*) ne permet pas une telle distinction. De la même façon, un grammairien[4] d'un dialecte iroquois précise que "habituellement", l'iroquois "n'exprime pas l'article" mais peut le faire si le besoin s'en fait sentir, expliquant que la forme d'un article n'est qu'un aspect de la grammaire particulière tandis que l'idée contenue dans l'article doit quand même être rendue dans la description. Le terme "exprime l'article" illustre une ambiguïté dans la conception de plusieurs grammairiens: l'article désigne soit une catégorie essentielle de la pensée soit une catégorie facultative d'une grammaire particulière; la même ambiguïté se décèle dans l'utilisation des termes datif et accusatif par Sonnenschein, que Jespersen critique de son côté.

L'exemple de la grammaire iroquoise illustre également un principe d'ordre plus général dont les grammairiens devinrent de plus en plus conscients: les différences les plus patentes entre les langues se rapportent aux catégories dont les utilisateurs d'une

---

4. Cf. Cuoq (1866).

langue particulière <u>doivent absolument tenir compte</u>[5]. En ce qui
concerne les catégories que les usagers <u>peuvent</u> utiliser à leur gré
dans une langue particulière, il y a peu d'information disponible.
La plupart des linguistes cependant pensent qu'il n'y a pas de restrictions spécifiques dans les langues quant aux possibilités d'expression.

5. L'évolution de la grammaire traditionnelle

a.   Quand les chercheurs s'aperçurent que la source des difficultés éprouvées dans les grammaires traditionnelles se trouvait dans
la confusion des "règles de la pensée" et des "règles de la grammaire", plusieurs voies s'ouvraient à eux pour éviter de telles inexac-
titudes.

        Plusieurs d'entre eux, plus intéressés par l'étude de la
pensée en soi, poursuivirent leur recherche sur les propriétés de la
pensée humaine en mettant de côté les propriétés idiosyncratiques
de l'expression de la langue. Parmi eux, il faut maintenant distinguer les logiciens qui restreignirent leurs recherches à celles de la
pensée déductive et plus spécifiquement du raisonnement, des psycholo-
gues dont le champ d'activité est moins restreint et comporte l'étude des
concepts, des émotions, etc. Les études du type logique ou du type
psychologique importent naturellement pour celle du langage humain.
Les philosophes du langage ont fourni des travaux très importants
dans l'une ou l'autre de ces directions. Mais les buts principaux
de ces études ne concernent pas les langues humaines dans leur organisation intrinsèque; elles portent plutôt sur certaines propriétés
des êtres humains manifestées à travers la langue.

---

5. Par exemple, le choix en français entre un article défini et un
    article indéfini.

b.   D'autres chercheurs, au contraire, se sont plutôt attachés
à l'étude des propriétés des expressions linguistiques en elles-mêmes;
dans le but de mener de telles études d'une façon systématique, ils
eurent à abandonner les catégories logico-sémantiques définies
par la tradition aristotélicienne. Plusieurs d'entre eux ont donc
cherché à fournir des descriptions de langue selon des principes rattachés à l'évolution ou à l'histoire de ces langues plutôt que selon des
principes logiques; c'est cette façon de concevoir les descriptions
qui prévalait au 19e siècle. Les efforts dans ce sens se sont con-
crétisés par les méthodes assez objectives de la linguistique historique, qui atteignent leur apogée avec les néo-grammairiens. Ces
derniers recherchaient des principes selon lesquels il était possible
d'établir des lois rigoureuses du changement linguistique indépendantes de facteurs logiques ou psychologiques, et qui pourraient traiter
les formes d'expression des langues en tant qu'objets d'une science
naturelle.

6. Les novateurs

a.   D'une façon individuelle, plusieurs grammairiens se mirent
à établir une nouvelle forme de grammaire, fondée quand même sur la
tradition aristotélicienne, mais tenant compte des difficultés men-
tionnées plus haut. Chacun de ces grammairiens avait pour but de
découvrir un moyen d'étudier conjointement les deux aspects des langues, d'une part l'aspect psychologique ou conceptuel, d'autre part
l'aspect formel. Compte tenu des échecs précédents, il était évident
pour ces grammairiens que l'expression ne pouvait être contrôlée directement par la logique. Ils admettaient donc qu'il devait se trouver indubitablement un système de relations plus complexes entre la
pensée et le discours.

Ferdinand Brunot dans la Pensée et la langue fit une critique détaillée du mode habituel d'exposition dans les grammaires traditionnelles: des parties du discours fondées sur des critères sémantiques,
des catégories morphologiques, enfin une syntaxe réduite à des règles
d'usage. Sa critique principale est qu'une telle façon d'exposer la
grammaire ne suffit pas à montrer les processus de base dans l'expression de la pensée. Il propose alors d'abandonner la classification
en parties du discours (ou au moins de lui donner un rôle tout à fait
secondaire) et de grouper ensemble tous les moyens utilisables pour
l'expression de pensées semblables.

Il est évident qu'une telle présentation doit rendre plus
explicites les structures générales de l'expression d'une langue.
En conséquence, elle peut s'avérer très utile pour l'enseignement de
la langue maternelle, c'est-à-dire qu'elle peut rendre les étudiants
sensibles aux moyens d'expression qu'ils utilisent déjà ou qui sont
à leur disposition dans cette langue. Mais on ne peut bâtir une théorie générale de la grammaire de cette façon, car il nous faudrait au
départ une classification générale des sortes de pensées à exprimer.
A supposer qu'une telle classification soit possible, nous en sommes
encore bien loin. C'est ce facteur qui affecte le plus la présentation de Brunot et le fait apparaître finalement assez peu systématique. De plus, même si certaines parties de son ouvrage (par exemple
le livre V) révèlent une organisation très bien structurée, on peut
soupçonner que cette organisation a été suggérée à Brunot, précisément, par les faits d'expression de la langue française.

b. Jespersen, par exemple dans Analytic Syntax et dans The Philosophy of Grammar a plutôt tenté de son côté de garder le schéma de base
des grammaires traditionnelles. Il y apporte cependant d'importantes
modifications selon les principes qui suivent.

Comme premier principe, Jespersen pose que la plupart des descriptions grammaticales sont infirmées du fait que les grammairiens ont oublié de considérer la langue dans son rôle normal, c'est-à-dire dans son utilisation par un usager: on ne peut séparer la description de l'usage proprement dit. Cette objection s'adresse aux études logiques comme aux études historiques. Aux logiciens, on peut reprocher de poser des catégories d'expression directement reliées aux catégories de la pensée: dans l'usage réel cependant, un même élément linguistique s'utilise pour exprimer différentes catégories de la pensée tout en demeurant dans une même catégorie de forme (par exemple, *Pierre, tu es pierre et sur cette pierre je bâtirai mon Eglise*). Aux historiens, on peut reprocher d'expliquer les formes de l'expression d'une langue à partir de son histoire; on ne peut pas rendre compte ainsi du comportement de l'usager de cette langue qui lui, ignore probablement tout de cette histoire.

Le deuxième principe de Jespersen est que l'utilisation d'une langue implique deux temps: il y a transposition de la pensée en sons par le locuteur et la transposition converse par l'interlocuteur. Ainsi donc, une grammaire devrait rendre compte de ces deux mouvements sans dire que l'un est plus important que l'autre. Compte tenu de la non correspondance entre la pensée et l'expression, il faut donc établir une description en trois étapes. Les formes de l'expression s'étudient et se décrivent au niveau de la morphologie. Le sens ou les notions relèvent de facteurs logiques ou psychologiques, mais doivent entrer en ligne de compte dans la pensée du linguiste. Celui-ci, de son côté doit donc rendre compte des liens qui unissent les formes et les notions par l'intermédiaire des fonctions des formes dans un usage particulier. L'étude de ces fonctions, selon Jespersen, constitue précisément le domaine de la syntaxe.

7.   L'importance des novateurs

a.   Le rôle qu'ont eu des chercheurs comme Brunot et Jespersen
est multiple. Ils ont d'abord contribué à une analyse détaillée des
échecs de la tradition grammaticale en Europe occidentale. Ces difficultés avaient déjà été éprouvées par plusieurs grammairiens; elles
nécessitaient cependant un exposé systématique sans lequel toute tentative d'amélioration se ramenait plus ou moins à du raccommodage.
Du fait que Jespersen surtout sut montrer clairement la source de ces
problèmes, il était alors possible de renouveler les études de grammaire.

b.   Mais les apports les plus importants de ces réformateurs se
rattachent plutôt à un autre point de vue. Plusieurs de leurs remarques, en effet, ont ouvert la voie aux principes du structuralisme.
Prenons par exemple l'argument déjà mentionné de Jespersen contre l'utilisation des notions de datif et d'accusatif en anglais.
Cet argument est fondé sur l'idée que les catégories de la grammaire
doivent être relatives, et non absolues. Dans ce cas particulier, il
n'y a en effet aucune raison d'établir deux catégories de forme pour
classer *him* comme datif et *him* comme accusatif puisqu'aucune distinction ne peut être établie à partir de l'observation des formes en
elles-mêmes. Cela revient à dire en d'autres termes que toute classification ou toute catégorisation doit se faire par rapport aux oppositions relatives dans la langue prise en elle-même; il faut donc
conclure que ces classifications et ces catégorisations peuvent différer très largement d'une langue à une autre. Ces chercheurs sont
également les précurseurs du structuralisme quand ils reconnaissent par
principe la divergence entre l'organisation des notions et celles des
formes, et déclarent également que la tâche principale de la linguistique doit être l'étude de la relation entre ces deux types d'organisation, qui, probablement, est en partie arbitraire.

c.   Voyons finalement un dernier aspect de l'apport de ces grammairiens. Tout en critiquant et en modifiant de façon substantielle l'approche traditionnelle des faits grammaticaux, ils maintiennent l'objectif de la grammaire générale qui consistait à établir une science des langues naturelles à partir de principes universellement valides. Les principes logiques s'avéraient nettement insuffisants en eux-mêmes. Mais Brunot et Jespersen suggèrent d'autres voies possibles de recherche; Brunot propose de son côté de travailler sur une base psychologique. Jespersen introduit sa notion de fonction comme un principe médiateur entre des formes idiosyncratiques et des notions variables. Une nouvelle grammaire générale pourrait donc résulter d'études analytiques très soignées des faits linguistiques.

Textes de référence

Aristote (384-322 av. J.-C.), *De l'interprétation*
Aristote (384-322 av. J.-C.), *Poétique*, sections 20 à 22
Brunot (1926), introduction
Cuoq (1866), p. 87
Jespersen (1924), chapitre 3
Lancelot et Arnauld (1660), préface et chapitre 1
Mounin (1967), chapitres 1 et 4
Robins (1968)

SUJETS DE RÉFLEXION

1. a) Avez-vous déjà "fait" du grec ou du latin ?
        Discussion : faire ressortir les points de similitude entre
        les ouvrages grammaticaux de ces langues et les gram-
        maires du français d'aujourd'hui.

    b) Quelle est la principale différence entre les grammairiens
        grecs et les grammairiens romains ?

2. a) Les phrases suivantes sont-elles vraies ou fausses ?

        La lune est ronde.   _____

        Des patriotes sont morts pour l'indépendance   _____
        du Québec.

        La neige et la pluie fondent au soleil.   _____

        Je pense que Drapeau est mégalomane.   _____

    b) *Oedipe a épousé Jocaste.*   _____

        Oedipe a épousé sa mère.   _____

        Marie !   _____

        Mangez pas trop.   _____

3. a) Que peut vouloir dire : "les lois du savoir humain sont uni-
        verselles" ?

    b) Expliquez l'évolution de la conception d'une grammaire géné-
        rale depuis Aristote jusqu'aux grammairiens du XVIIe et du
        XVIIIe siècle.

c)   Les descriptions syntaxiques particulières du XVIIe et du XVIIIe siècle se caractérisent principalement des deux façons suivantes :

1⁰ _____

2⁰ _____

4.   a)   Les Arabes s'attachèrent plus à des études du langage

rhétoriques ☐

philosophiques ☐

logiques ☐

b)   L'imposition d'un même cadre de travail pour la description d'autres langues que le grec et le latin provoque des erreurs de description.

Discussion : imaginons un peu ces erreurs pour des langues comme le mohawk, le chinois, le hongrois ou le français.

5.   Analysez en détail, dans le cadre des parties du discours, les phrases du texte obtenu à l'exercice 5 du chapitre précédent.

3

L'ÉMERGENCE DU STRUCTURALISME
EN LINGUISTIQUE

1. Les préstructuralistes

a. Au XVIIIe et au XIXe siècle, plusieurs philologues (c'est-à-dire des gens qui s'attachaient presque exclusivement à l'étude des documents trouvés dans une forme écrite) eurent accès à une masse très riche de documents écrits dans des langues inconnues jusqu'alors et qui offraient des ressemblances frappantes avec les langues classiques comme le grec, le latin ou les langues germaniques. Ils furent donc amenés à comparer certains traits de ces différentes langues et à faire des hypothèses concernant les causes des similarités qu'ils observaient. Vers la fin du XIXe siècle, la méthode historique était très bien établie en linguistique, au point que plusieurs la considéraient comme la base essentielle de toute recherche linguistique.

La valeur de la linguistique historique résidait surtout dans le fait qu'elle permettait de comprendre les formes de l'expression d'une langue; ces formes étaient alors considérées comme tout à fait arbitraires puisque, comme nous l'avons déjà vu, la plupart des tentatives d'explication fondées sur des principes logiques ou psychologiques s'étaient avérées un échec. D'où l'idée que les formes d'expression d'une langue avaient leur propre évolution historique, indépendante dans l'ensemble de facteurs logiques ou psychologiques. Le but des néo-grammairiens se ramenait donc à établir un ensemble de règles concernant cette évolution, semblables aux règles objectives utilisées alors dans les sciences naturelles. Ces règles devaient s'appliquer au matériel concret des unités linguistiques, tels que les sons de la langue ou les formes fléchies des mots. L'évolution de chacune de ces unités linguistiques était considérée comme indépendante des autres excepté dans le cas où le principe de l'analogie s'appliquait. Dans ce sens, la grammaire comparée n'apportait pas de changement dans les méthodes fondamentales utilisées dans les grammaires de l'époque; elle ne faisait qu'ajouter une dimension historique aux descriptions traditionnelles. Nous avons déjà vu les objections de Jespersen à des références aux faits historiques: selon lui, ces faits peuvent être d'une grande importance pour le linguiste mais ils n'expliquent pas comment un être humain peut faire un usage quotidien d'une langue. Cependant, la recherche dans l'histoire des langues a soulevé de nombreuses questions qui, d'une certaine manière, ont conduit à des considérations renouvelées sur le langage.

b. L'un des problèmes qui confrontaient les comparatistes était celui de rendre compte des paradigmes morphologiques des différentes langues indo-européennes au moyen de règles de changement phonétique acceptables. Une difficulté importante se rattachait à l'histoire des sons vocaliques. En résumé, on constatait que certains paradigmes présentaient une alternance de la qualité vocalique (par exemple, e/o) pendant que d'autres situations montraient au contraire une alternance de la quantité vocalique (par exemple, ā/ă). Il ne

semblait y avoir aucune explication commune pour ces deux phénomènes quand on utilisait uniquement les règles de changement
applicables à chacune des voyelles concernées (bien que les deux
phénomènes fussent visiblement rattachés l'un à l'autre d'un
point de vue morphologique).

Saussure, dans son Mémoire sur le système primitif des
voyelles de l'indo-européen, publié en 1878, offrit une esquisse de
solution à ce problème; la solution générale reste encore à élaborer,
mais ce que Saussure fit dans le temps constituait une innovation
des plus importantes pour le développement de la linguistique. Les
méthodes habituelles de la grammaire comparée, qui prenait en considération l'évolution d'une seule unité phonétique à la fois, ne
pouvaient fournir une solution à ce problème puisque le point de
départ était un système primitif ayant donné lieu à des évolutions
différentes. Le point de vue original qu'adopta Saussure fut
d'appliquer le principe comparatif à tout un ensemble d'éléments
phonétiques, savoir tous ceux qui comportaient des alternances
morphologiques. Les propriétés de relation formelles de cet
ensemble montrent alors des correspondances entre plusieurs langues,
ce qui conduit les chercheurs à l'établissement d'un élément hypothétique[1].

Pour la première fois, le Mémoire montre l'importance des
relations formelles entre des unités linguistiques: ces relations
importent plus que la forme concrète que les unités ont dans le
discours. C'est à partir de ce Mémoire que la pensée saussurienne
s'est développée durant les années qui suivirent jusqu'à la rédac-
tion des idées contenues dans le Cours de Linguistique générale.

---

1. L'existence de cet élément hypothétique a depuis été confirmé
   puisqu'il a été observé par les traces qu'il a laissées dans
   une autre langue, le hittite.

2. La langue est une forme

a. La signification particulière d'un message, par opposition à celle de tous les autres messages que le locuteur pourrait utiliser, ne peut s'expliquer par la nature concrète de ce message ou des parties qui le composent. Ce qui donne à ce message son individualité et, bien entendu, lui confère son sens spécial, c'est essentiellement qu'il diffère des autres messages. Toute forme matérielle (le matériel phonique, les caractères alphabétiques, les idéogrammes, les gestes, etc.) qui préserve ces différences entre les messages sera adéquate tout au moins dans une première analyse. Le linguiste qui, comme le fait justement remarquer Jespersen, doit rendre compte de la façon dont une langue réalise ses fonctions, doit donc s'attacher d'abord aux <u>différences pertinentes</u> entre des productions linguistiques. Sa tâche principale consiste donc à vérifier où ces différences se trouvent.

Au cours d'un énoncé, le locuteur a plusieurs possibilités de choix par rapport à ce qui va suivre dans cet énoncé. Le fait qu'il continue cet énoncé d'une façon particulière indique précisément qu'il effectue un <u>choix</u> (la plupart du temps d'une façon inconsciente) et ce choix implique que certaines possibilités ne sont pas retenues. On peut tester ces choix en considérant quelles sont les autres pièces du matériel linguistique qui pourraient se substituer aux pièces présentes à un point particulier de l'énoncé que nous examinons. Ce test s'appelle le <u>test de la commutation</u>. Nous l'appliquons d'ailleurs d'une façon instinctive quand, pour une raison ou pour une autre, nous voulons vérifier un aspect particulier d'un énoncé. Par exemple si nous entendons: *Paul lui a acheté des cigares*, nous pouvons demander au locuteur s'il veut dire *Paul a acheté des cigares à Jean* ou *Paul a acheté des cigares pour Jean*. Dans ce cas, nous essayons de substituer une production qui peut être considérée équivalente jusqu'à un certain point à celle que nous avons entendue. Dans d'autres cas, on pourrait substituer une unité qui introduit une différence entre les productions, en remplaçant par exemple *acheté* par *vendu* ou en remplaçant *lui* par *m'*.

L'application des différentes variétés de ce test peut nous faire découvrir quels sont les choix qui ont été effectués dans un énoncé particulier et peut nous faire découvrir exactement comment un énoncé particulier diffère d'un autre dans une langue.

b. Si nous appliquons le test de commutation d'une façon systématique, on observe qu'à un élément particulier d'un énoncé, on peut substituer n'importe lequel des éléments de tout un ensemble. Par exemple, le mot *acheté* dans l'exemple ci-dessus, peut se voir substituer *vendu, pris, loué, enlevé, soutiré, volé*... Pour chacune de ces substitutions, on obtient un message qui est différent de l'original en un endroit particulier de l'énoncé. Il en découle que tous les messages opposés deux à deux révèlent alors une opposition significative. Il est possible ensuite de fouiller tous les messages pour déterminer toutes les places où des oppositions significatives sont possibles et on peut, par rapport à chacune de ces places, établir une liste des choix possibles. Une telle liste s'appelle un paradigme.

Il est évident que les combinaisons entre éléments ne sont pas toutes possibles: en d'autres termes, on peut substituer seulement certains éléments dans une place particulière dont sont exclus automatiquement certains autres éléments. Ainsi, dans l'exemple précédent, on peut substituer *Pierre* à *Paul* mais non *caillou* ni *fer: bois lui a acheté des cigares* n'est tout simplement pas une phrase du français. On doit en conclure que chaque choix n'est pas considéré indépendamment des autres choix: il y a des contraintes entre les choix qui forment le message. Ces contraintes sont dites contraintes syntagmatiques.

c.   On constate donc que toute expression linguistique révèle deux sortes de relations entre les pièces qui la composent: ce sont les relations syntagmatiques d'une part et les relations paradigmatiques d'autre part. Le premier type de relations sert à rendre compte de la cohésion de l'expression, c'est-à-dire ce qui fait que cette expression est différente d'une simple liste de pièces détachées; ces relations joignent des éléments qui sont présents tous ensemble dans une expression. Le second type de relations sert à rendre compte de l'individualité de cette expression par rapport aux autres expressions de la langue. Ces relations s'établissent entre les pièces qui peuvent occuper une même place; mais une seule de ces pièces est présente dans l'expression: les autres en sont exclues. C'est pourquoi on dit, à la suite de Saussure, que les premières relations sont in praesentia et les secondes in absentia.

3. La notion de valeur

a.   En vue de bien cerner la nature des éléments linguistiques, Saussure propose la notion de valeur.

Comme nous l'avons vu, ce qui fait la nature d'une expression linguistique se révèle concrètement par un ensemble de relations de deux espèces. D'une part la cohésion de cette expression est assurée par des contraintes syntagmatiques; d'autre part l'individualité de cette expression est assurée au moyen des oppositions paradigmatiques. À première vue, la nature matérielle des éléments présents dans l'expression semble donc non pertinente. Faisons le point sur les éléments utilisés dans une langue. On s'aperçoit que ce qui donne à ces éléments linguistiques leur existence et leur per-

tinence ne réside pas dans le matériel lui-même mais dans la façon
dont le matériel entre dans des oppositions paradigmatiques et se
voit contraint syntagmatiquement. Par exemple, ce qui fait la pertinence d'un mot comme *lampe* en français n'est pas la façon dont on
écrit *lampe* ou le matériel phonique sous-jacent à *lampe* mais le fait
que *lampe* se distingue sûrement de *rampe* ou de *lent*. Ainsi donc une
unité linguistique n'a pas à être définie selon son aspect matériel
mais selon les relations qui lient systématiquement cette unité à
d'autres unités. Ce réseau de relations forme ce que Saussure appelle la valeur d'une unité linguistique.

b.   On peut imaginer maintenant ce que doit être une description linguistique à partir de cette conception de la nature de la
langue par opposition à la parole. Il nous faut identifier les unités linguistiques qui représentent les outils dont se sert le locuteur pour fabriquer une expression. Puis on doit définir ou tout
au moins décrire ces unités quant à leur valeur, c'est-à-dire quant
aux relations dans lesquelles elles entrent. La structure d'une
langue se ramène donc à la totalité de ces relations. Quand un
locuteur utilise une langue dans l'activité qu'on appelle la parole, il se trouve précisément à ce moment dans la position de celui
qui effectue le choix de certaines de ces unités en relation et qui
combine ces unités selon des règles syntagmatiques propres à former
des messages. Une théorie complète du langage consisterait donc à
rendre compte à la fois de son aspect langue, c'est-à-dire de ses aspects relationnels, et de son aspect parole, c'est-à-dire d'une activité propre aux humains quand ils utilisent une langue.

4. La notion de fonction

a.   Les idées de Saussure ont été développées systématiquement
par la suite. Hjelmslev est un de ceux qui ont le plus contribué à

rendre explicites certaines des distinctions préalablement établies
par Saussure et essentielles à la définition de la linguistique
structurale.

La première distinction de base sépare la forme de la
substance. Toute langue fonctionne, avons-nous vu, à partir d'un
réseau de relations: il s'agit là d'une constatation formelle.
Cependant dans l'utilisation pratique d'une langue, on ne produit
pas des relations mais des événements matériels ou des objets.
Hjelmslev désigne sous le nom de matière le matériel de base
utilisé dans la communication par une langue, ce matériel de base
étant du son quand nous parlons, des dessins quand nous écrivons,
etc. Quand on se sert d'une langue, on divise la matière suivant
différents domaines qui correspondent aux relations pertinentes
qui constituent la forme de cette langue. Par exemple, on ne
distingue pas parmi toutes les façons de prononcer *lampe* mais on
distingue entre toutes les façons de prononcer *lampe* et toutes les
façons de prononcer *rampe* parce que ces deux unités, quelle que
soit la façon de les prononcer, sont linguistiquement différentes.
L'organisation spécifique de la matière sous le contrôle de la
forme est ce que Hjelmslev désigne du nom de substance.

Il sera donc nécessaire dans une description linguistique
de bien se rappeler la distinction entre le schéma d'une langue,
c'est-à-dire l'organisation de sa forme et la norme de la langue,
c'est-à-dire la correspondance usuelle entre la forme et la
substance.

b. La langue s'utilise normalement non pas pour le plaisir d'obtenir
des expressions bien organisées mais pour véhiculer du sens.
Parmi les pièces qui composent un message, on peut en reconnaître
certaines qui "signifient" quelque chose. Il est cependant difficile
de spécifier ce que sont ces "quelque chose". D'une part, ces

"quelque chose" sont certainement reliés à l'univers qui nous entoure, tout spécialement dans le cas de mots comme *arbre* ou *pomme*. D'autre part, on ne peut pas dire que le sens de *arbre* soit fait des arbres réels tels que nous les voyons. Hjelmslev suggère que la même distinction soit utilisée dans l'étude du sens que dans l'étude du son. Tout ce qui est "transporté" par les messages concerne finalement la réalité de notre univers c'est-à-dire qu'il s'agit là également d'une matière. La forme de la langue cependant impose une organisation spécifique à cette réalité qui devient alors une substance. On doit donc distinguer les deux pôles que sont l'expression et le contenu et dire que la langue s'insère entre les deux substances, celle de l'expression et celle du contenu, par le biais d'une forme qui elle-même a deux faces: le côté expression de cette forme est ce qui apparaît dans nos énoncés, le côté contenu de la forme linguistique correspond à ce que nous appelons intuitivement le sens.

c. Hjelmslev appelle fonction sémiotique le lien qui unit les deux faces de la forme linguistique. Quand au terme fonction, il faut reconnaître qu'il a été utilisé, en linguistique et ailleurs, de toutes sortes de façons. Cependant, tout au moins en ce qui concerne la linguistique, les différentes significations de ce terme ont un aspect en commun: une fonction est toujours une relation entre deux objets de nature différente. Dans le cas de la fonction sémiotique, on a une relation entre la forme de l'expression et la forme du contenu. On peut également rappeler ici que le concept de fonction chez Jespersen se rapportait aussi à la relation entre des "formes" (c'est-à-dire des expressions linguistiques) et des "notions" (c'est-à-dire le contenu linguistique). Dans les chapitres suivants, nous allons examiner d'un peu plus près quelques perspectives structurales sur la fonction sémiotique.

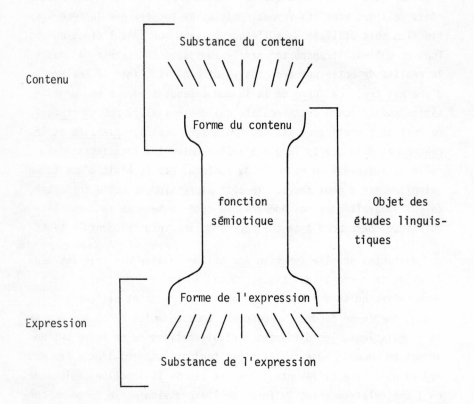

Textes de référence

Hjelmslev (1943), chapitre 13
Jespersen (1924), chapitre 2
Martinet (1960), chapitres 1 et 3
Mounin (1967), chapitre 4
Robins (1968)
Saussure (1915), 2e partie - chapitre 4

SUJETS DE RÉFLEXION

1. Montrez schématiquement les étapes à suivre dans l'établissement de la structure d'une langue.

2. a) Faites fonctionner le test de la commutation sur une phrase de votre choix.

   b) Notez vos observations.

3. Illustrez le fait que les oppositions entre les "mots" commutés peuvent manifester des catégories différentes (lexicales ou grammaticales).

4. Illustrez de façon concrète la notion de fonction sémiotique dans d'autres domaines que la linguistique.

5. Pour une phrase donnée voyez s'il est possible d'établir :

   a) un premier paradigme correspondant à un inventaire fermé;
   b) un second paradigme correspondant à un inventaire ouvert.

LA SYNTAXE FONCTIONNELLE DE MARTINET

1. La syntaxe et l'expérience à communiquer

a. Les principes de base de la théorie de Martinet apparaissent
comme un développement du schéma général de Hjelmslev (même si ces
deux auteurs ont appliqué ce schéma de manière tout à fait différente). Puisque le rôle principal du langage est la transmission
des expériences entre le locuteur et l'interlocuteur, tout aspect
de l'organisation d'une langue doit être étudié en relation avec
l'expérience à transmettre. C'est de cette façon que s'explique
l'étiquette syntaxe fonctionnelle qu'a donnée Martinet à sa théorie.

Il s'ensuit que l'objectif principal de cette théorie sera d'identifier la façon dont l'expérience à transmettre s'analyse
pour une langue particulière, autrement dit, quels sont les éléments de l'expérience qui correspondent à des choix élémentaires
dans l'expression. Ce type d'analyse se fait en partie par le test
de la commutation. Quand ce test est bien appliqué, il fournit une

division d'une expression donnée en unités élémentaires qui, d'une
part, possèdent un contour phonique particulier et, d'autre part,
ont une signification particulière. Ces unités qui marquent une
connexion élémentaire entre la forme du contenu et la forme de
l'expression sont appelées monèmes par Martinet. Ainsi donc tout
message linguistique pourra être considéré comme un groupement de
monèmes dont les aspects du contenu correspondent à des parties
de l'expérience et dont les aspects de l'expression correspondent
au matériel sonore de l'énoncé.

b. L'étude de la combinaison de ces monèmes se rattache à la syntaxe. Martinet fait remarquer que l'ordre des phonèmes (unités distinctives) est toujours pertinent mais que celui des monèmes (unités significatives) ne l'est pas toujours: il peut parfois être
indifférent. Il suggère donc que le critère important en syntaxe
ne peut être simplement l'ordre d'occurrence des monèmes et que l'on
doit considérer en outre "quel comportement on peut attendre des
monèmes en tant qu'unités significatives". Alors que les monèmes
reflètent divers aspects de l'expérience à transmettre, il se peut
qu'ils ne reflètent pas en eux-mêmes les relations entre ces différents aspects, c'est-à-dire l'organisation de l'expérience considérée comme un tout.

Martinet emploie le terme fonction pour désigner "la
contre-partie linguistique de la relation entre un élément d'expérience et l'ensemble de l'expérience". En d'autres mots, la fonction d'une unité linguistique consiste dans le rôle que cette
dernière joue dans la transmission d'une expérience. En plus
d'isoler les monèmes, la tâche du linguiste consiste donc à déterminer les nombreuses fonctions possibles pour ces monèmes et les
moyens par lesquels ces fonctions seront comprises par un auditeur
de telle sorte que ce dernier pourra reconstruire l'expérience
transmise à partir des monèmes ou des groupes de monèmes qui en
transmettent les aspects.

2. Classification fonctionnelle des monèmes

Un premier classement des monèmes se fait selon les fonctions que ces derniers peuvent prendre ou, plus précisément, selon
que leur fonction est déterminée ou non.

Certains monèmes portent en eux l'indication de leur fonction. La raison habituelle pour cet état de choses est que leur contenu est très spécifique. Par exemple, dans l'expression *Hier, j'ai
vu un écureuil gris dans le jardin*, *hier* est un monème dont la fonction "complément circonstanciel de temps" découle directement de son
contenu. Martinet observe que la fonction de tels éléments ne dépend pas de leur position dans l'expression et pour cela, les appelle
monèmes autonomes.

Il y a relativement peu de monèmes autonomes, ne serait-ce
que parce que la plupart des fonctions ne découlent pas immédiatement
de l'un ou l'autre des aspects du sens. Ainsi, on trouvera beaucoup
de monèmes auxquels le sens n'attribue pas une fonction particulière: ainsi *écureuil* et *jardin* dans l'exemple ci-dessus. La fonction particulière de tels monèmes dans une expression donnée doit
être marquée à part. Ces monèmes s'appellent monèmes dépendants.
Pour marquer la fonction des monèmes dépendants les langues utilisent souvent la position dans l'expression (dans le cas de *écureuil*,
la fonction marquée est celle d'objet: ce monème est situé immédiatement après le verbe).

La position, utilisée pour déterminer la fonction, offre
cependant des possibilités limitées du fait du caractère linéaire
de l'expression. En effet, si plus de deux éléments doivent être
reliés à un troisième, la position n'est pas toujours pertinente.
(Considérons, par exemple, *donne-moi le* et *donne-le moi*.) On découvre qu'il existe également des monèmes spéciaux qui servent à
marquer la fonction de certains monèmes dépendants (par exemple, la

fonction de *jardin*, dans l'exemple ci-dessus, est marquée par le monème *dans*). On appelle ces monèmes monèmes fonctionnels.

3. Classification fonctionnelle des syntagmes

Très souvent l'articulation de l'expression fait ressortir des groupes de monèmes auxquels on doit attribuer une fonction
spécifique, c'est-à-dire qui se comportent comme des monèmes simples.
On appelle ces groupes des syntagmes. La classification des syntagmes peut se faire comme celle des monèmes.

Les syntagmes autonomes sont ceux qui contiennent en eux-
mêmes la marque de leur fonction. Ceci se produit de deux façons.
On peut d'abord rencontrer des expressions composées comme *la semai-
ne dernière*, dans lesquelles aucun monème particulier n'indique une
fonction mais dont le contenu total est très spécifique. La plupart des syntagmes autonomes sont cependant formés d'un monème fonctionnel et de ses dépendants. Par exemple *dans le jardin* est un
syntagme autonome dont la fonction est indiquée par *dans*. Les syntagmes autonomes ont la même propriété d'autonomie syntaxique que
les monèmes autonomes.

Les syntagmes dépendants sont ceux qui ne contiennent pas
en eux-mêmes l'indication de leur fonction. Dans l'exemple ci-dessus,
un écureuil ou *le jardin* sont des syntagmes dépendants. D'une façon
plus formelle, on doit remarquer ici qu'il faudrait choisir entre
dire que *écureuil* est dépendant de *j'ai vu* et dire que c'est *un
écureuil gris* qui est dépendant de *j'ai vu* et qu'il est constitué
lui-même de *écureuil*, avec *un* et *gris* pour dépendants.

Certains syntagmes ne sont ni autonomes ni dépendants.
J'ai vu ci-dessus est un bon exemple. Ce syntagme suffit en lui-
même à former une phrase du français: il est évident qu'il ne dépend pas d'un autre élément de la phrase. Par contre, il ne serait
pas approprié de l'appeler syntagme autonome puisqu'il est le centre

de la phrase, par rapport auquel l'autonomie se définit. On appelle donc de tels syntagmes <u>indépendants</u> ou, puisqu'ils forment le centre même de l'énoncé, des <u>syntagmes prédicatifs</u>. Leur structure, selon Martinet, peut varier d'une langue à l'autre et constitue un trait typologique important.

4. <u>Une classification détaillée des monèmes dépendants</u>

On constate donc à partir de la discussion qui précède que la plupart des monèmes des expressions linguistiques seront classés comme des monèmes dépendants. Il est peut-être utile ici d'analyser plus en détail ce type de monèmes.

Un monème qui dépend directement d'un monème ou syntagme non dépendant (c'est-à-dire indépendant, autonome ou fonctionnel) est dit avoir une fonction <u>primaire</u>: par exemple *écureuil* dans l'exemple ci-dessus. Les monèmes qui dépendent d'autres monèmes déjà dépendants auront une fonction secondaire; ce sont des dépendants <u>marginaux</u>, ou des <u>déterminants</u>.

Si nous considérons les paradigmes de positions spécifiques, on observe qu'ils se répartissent en deux classes assez distinctes. La première contient par exemple le paradigme de la position précédant *écureuil*. Ce paradigme particulier constitue un ensemble très restreint d'unités comme *un, le, ce, mon, ton, son* et encore quelques autres. La seconde classe regroupe des paradigmes comme celui de *gris* qui constitue une classe ouverte d'un nombre indéterminé d'"adjectifs" du français. L'existence de ces deux classes nous permet de distinguer les monèmes <u>grammaticaux</u>, qui appartiennent généralement à des paradigmes restreints et fermés, des monèmes <u>lexicaux</u> qui apparaissent dans les paradigmes ouverts. Cette distinction apparaît nettement indépendante de toutes les autres, avec l'importante exception que les monèmes fonctionnels semblent être tous grammaticaux.

Martinet appelle les déterminants grammaticaux <u>modalités</u>.
La décision de les distinguer des autres se justifie comme suit.
D'abord, contrairement aux autres éléments grammaticaux, ils ne marquent aucune relation entre les parties principales de l'énoncé:
ils ne font que préciser un de ces éléments; ensuite, par opposition aux déterminants lexicaux, ils ne peuvent avoir que cette fonction pour tout énoncé du langage. Exemples de modalités: *un* dans
un écureuil gris ou passé composé dans *j'ai vu*.

5. Schéma d'une analyse fonctionnelle

La première étape dans une analyse fonctionnelle, après
la phase d'identification des monèmes, sera d'identifier les syntagmes autonomes par le critère de l'autonomie syntaxique. Chacun
de ces syntagmes autonomes doit être examiné pour en faire ressortir le monème fonctionnel s'il y a lieu.

Le reste de l'énoncé est alors composé d'un syntagme prédicatif et d'un nombre indéterminé de syntagmes dépendants. Ces
derniers sont faciles à identifier du fait qu'ils peuvent être éli-
dés: le résidu reste un énoncé bien formé. Quand de telles élisions
ne sont plus possibles, il reste le syntagme prédicatif.

Chacun des syntagmes isolés peut à son tour être analysé
pour y découvrir le cas échéant les déterminants ou dépendants se-
condaires distingués du dépendant primaire qui constitue le coeur
du syntagme.

En particulier, dans le cas des propositions dépendantes
telles que les complétives, l'analyse effectuée à l'intérieur de
chacune de ces propositions doit suivre les mêmes étapes que pour
la proposition principale.

On a terminé l'analyse quand les fonctions de tous les
éléments lexicaux ont été spécifiées et quand les éléments gramma-

ticaux (dont la fonction est inhérente) ont été identifiés soit comme éléments fonctionnels soit comme modalités.

6. Commentaires

a. La syntaxe de Martinet rappelle la syntaxe traditionnelle à plusieurs points de vue. En particulier le traitement des monèmes dépendants se retrouve, à l'exception bien sûr des différences de terminologie, dans la plupart des grammaires antérieures. Ce fait découle surtout de l'approche fonctionnelle qui met l'accent sur la dépendance de l'expression linguistique par rapport au contenu et tend à minimiser les divergences entre les deux plans. En fait, Martinet ne s'attache sérieusement qu'à l'un des types de divergence qu'il appelle amalgame: ce phénomène se produit quand des aspects de plusieurs monèmes, aspects de l'expression ou du contenu, sont confondus de telle sorte qu'on ne peut justifier une analyse qui les séparerait: par exemple, dans les formes verbales vais ou ont du français[1].

Cependant, il y a une importante différence entre les points de vue traditionnels et fonctionnels sur la syntaxe: elle réside dans la distinction marquée entre les fonctionnels et les modalités. Dans la plupart des grammaires traditionnelles (à l'exception toutefois de celle de Jespersen), ces deux sortes d'unités grammaticales n'étaient pas dissociées. En effet, dans la plupart des langues classiques, on trouve de nombreux cas d'amalgame des fonctionnels et des modalités (par exemple, les cas qui sont des fonctionnels et les nombres qui sont des modalités, dans les déclinaisons nominales). Rappelons que les grammairiens traditionnels

---

1. Martinet ne semble pas considérer que les deux processus différents à l'oeuvre dans ces deux exemples vaillent la peine d'être distingués et signalés dans une description synchronique.

essayaient d'attribuer des sens spécifiques aux expressions linguistiques, c'est-à-dire de relier directement les substances de l'expression et du contenu. Ils avaient tendance ainsi à attacher trop
d'importance aux aspects morphologiques au détriment des aspects purement relationnels.

        La syntaxe de Martinet est structurale parce qu'elle con-
sidère que les faits de relation sont essentiels. Ainsi donc, la
fusion entre des fonctionnels et des modalités sur le plan morphologique a moins d'importance que les relations que ces éléments entretiennent avec le reste de la langue. On reconnaît donc deux faits:
on constate d'abord que ces deux éléments appartiennent à deux paradigmes différents, c'est-à-dire qu'on doit reconnaître deux unités
séparées malgré l'impossibilité de les analyser sur le plan morphologique; on constate également que ces deux unités entretiennent des
relations syntagmatiques très différentes (ou dénotent des fonctions
différentes), c'est-à-dire que les fonctionnels sont reliés à la fois
à d'autres unités du syntagme et au reste de l'énoncé, alors que les
modalités ne se rattachent qu'à une autre unité du même syntagme.

        Une telle analyse dégage nettement l'impact des concepts
structuraux sur le traitement d'un aspect particulier du langage.

b. Notons un autre fait intéressant à propos de la syntaxe de Martinet: alors que les concepts théoriques sont résolument fondés sur
un point de vue fonctionnel, les analyses concrètes du langage dépendent, elles, de critères formels. En d'autres mots, Martinet définit différentes sortes de syntagmes ou de monèmes d'une façon fonctionnelle, c'est-à-dire en relation avec la structure du contenu;
par contre, il utilise pour l'identification de ces unités des critères formels, c'est-à-dire des critères comme l'autonomie syntaxique
ou la possibilité d'élision des éléments. Nous verrons plus loin
que les mêmes critères se retrouvent chez Z. S. Harris[2].

_____

2. Voir au chapitre 9; il semble que la recherche de Harris se soit
    inspirée au départ des travaux de Jespersen.

c. Cette remarque nous amène à une des deux conclusions suivantes.
La première consiste à considérer le recours à des critères d'identification formels comme l'échec d'une syntaxe purement fonctionnelle: il serait impossible d'identifier à priori des unités de
l'expression à partir de leur fonction. On se trouve alors devant
la même difficulté qu'éprouvaient les grammaires traditionnelles,
savoir, comme Jespersen le faisait remarquer, que les fonctions ne
sont pas des propriétés rattachées de manière univoque aux unités
de l'expression (Jespersen aurait dit: aux formes). Ainsi, on a
déjà observé plus haut que la plupart des occurrences de monèmes
dans une expression étaient dépendantes, c'est-à-dire ne portaient
pas en elles-mêmes la marque de leur fonction. Ces monèmes peuvent
donc prendre plusieurs fonctions et c'est alors qu'on a besoin
d'autres critères pour déterminer quelle fonction est réalisée dans
un cas particulier.

　　Il nous semble cependant que la position de Martinet se
rapproche plus de l'autre conclusion possible que l'on pourrait
formuler à peu près comme ceci: les propriétés formelles utilisées
comme critères d'identification découlent de la structure fondamentale du contenu à transmettre, en vertu des propriétés générales du
langage humain. Ici encore, on est très près du concept de la
grammaire générale. La difficulté principale réside dans le fait
que Martinet ne fournit aucun moyen de traiter systématiquement les
divergences entre expression et contenu qui sont par nature non
fonctionnelles.

Textes de référence

Martinet (1960), chapitre 4
Martinet (1962), chapitre 2

SUJETS DE REFLEXION

		VRAI	FAUX

1. a) Les syntagmes autonomes peuvent être considérés comme dépendants du résidu de la phrase dont ils font partie ☐ ☐

    b) Ils peuvent s'élider ou s'insérer dans une suite de monèmes ☐ ☐

    c) Ils peuvent contenir des monèmes primaires ou secondaires ☐ ☐

2. a) Comment pourrait-on définir l'expérience ?

    b) Comment peut-on isoler des éléments d'expérience ?

3. Est-il possible de hiérarchiser les divers types de monèmes (ou syntagmes) ?

4. Illustrez des amalgames et soulignez les aspects importants qui sont alors confondus.

5. Effectuez l'analyse d'un court texte selon le schéma d'une analyse fonctionnelle.

LA SYNTAXE STRUCTURALE DE TESNIÈRE

1. La connexion syntaxique

a. Pour élaborer sa syntaxe, Tesnière commence par reconnaître un
fait ignoré ou négligé dans la grammaire traditionnelle: il s'agit
de l'importance des connexions entre les mots pour la compréhension
du fonctionnement du langage. Pour la plupart des grammairiens traditionnels, nous l'avons vu précédemment, les phénomènes d'organisation constatés au niveau de la syntaxe étaient jugés purement acci-
dentels. Ces phénomènes variaient passablement d'une langue à une
autre et, pour ces grammairiens, c'était dans la catégorisation des
parties du discours et dans la morphologie que devaient se trouver les
traits réellement significatifs. Cette attitude découlait principalement de la concentration des études sur des langues fortement fléchies dans lesquelles l'ordre des mots était relativement libre.
Les marques de l'organisation syntaxique étaient si apparentes (comme

les marques de l'accord) et si faciles à observer qu'il était également facile alors de se concentrer sur ces marques et d'oublier d'en expliquer la valeur réelle.

La situation diffère dans beaucoup de langues "modernes" et on est obligé de rechercher en syntaxe l'origine de nombreuses régularités non justifiées d'un point de vue logique. C'est ainsi que Tesnière fait remarquer que

> Tout mot qui fait partie d'une phrase
> cesse par lui-même d'être isolé comme
> dans le dictionnaire. Entre lui et ses
> voisins, l'esprit aperçoit des connexions,
> dont l'ensemble forme la charpente de la
> phrase. (p. 11)

Donc, ce qui fait la différence essentielle entre une phrase et une liste de mots tirés d'un dictionnaire, c'est un ensemble de connexions. La plupart du temps, aucun signe apparent n'indique ces connexions mais on ne peut nier que les francophones perçoivent leur existence dans une phrase comme *Alfred parle*. Ce fait conduit Tesnière à déclarer que les phrases de ce type sont constituées, non pas de deux, mais de trois éléments: deux de ces éléments, *Alfred* et *parle* feront l'objet d'étude au niveau de la morphologie, alors que le troisième, la connexion syntaxique entre *Alfred* et *parle* constitue l'objet d'étude propre à la syntaxe.

b. Soit la phrase: *La décision du principal de l'école a étonné les parents de Jean.* Notre expérience intuitive de locuteurs nous permet de percevoir des connexions spécifiques entre des segments (ou des morceaux) de cette phrase: par exemple, *du principal de l'école* est "plus proche" de *la décision* que de *a étonné* et *la décision*

est "plus proche" également de *a étonné* qu'elle ne l'est *du principal de l'école.* On peut même sentir que les deux connexions *décision - principal* et *décision - a étonné* ne sont pas de la même espèce (Martinet dirait que *principal de l'école* est un déterminant de
décision et que *a étonné* n'en est pas un). On peut donc entrevoir
une organisation assez complexe de ces connexions syntaxiques. La
phrase dans sa manifestation sonore, ne révèle cependant qu'une <u>suc-
cession</u> de mots par opposition à ce réseau de connexions. La relation entre ce réseau de connexions (<u>ordre structural</u>) et la forme
des phrases prononcées (<u>ordre linéaire</u>) constitue un second objet
d'étude pour la syntaxe. Tesnière démontre ainsi que la syntaxe ne
peut se réduire à un simple appendice ou à une conséquence de la morphologie. La syntaxe a ses propres objets d'étude: premièrement, la
reconstruction des principes présidant à l'ordre structural et leur
application aux phrases réelles; deuxièmement, le phénomène de la
<u>formation des phrases</u> par lequel l'organisation structurale reçoit
une représentation linéaire ou, naturellement, le phénomène inverse,
par lequel l'interlocuteur peut décoder l'ordre linéaire et recons-
tituer les connexions structurales.

Il arrive que la représentation de certaines connexions se
voie facilement dans les séquences de l'ordre linéaire. Toutefois,
à cause des contraintes imposées par la linéarité, il est nécessaire
que certaines connexions soient coupées lorsque les mots s'alignent
en séquence; certaines de ces connexions ne sont pas marquées du tout
ou sont révélées par des marques morphologiques comme celles de l'accord. Comme le comportement des langues varie énormément à ce sujet,
on trouve là un critère très important pour la classification typologique des langues.

2. La structure de la phrase simple

a. Tesnière reconnaît dans toute connexion syntaxique un élément
dominant et un élément dépendant et ceci, du fait que c'est la présence d'un élément dominant qui rend possible celle d'un élément
dépendant de lui. La structure de cette connexion correspond dans
sa représentation à une ligne verticale ou oblique reliant l'élément
dominant au-dessus à l'élément dominé au-dessous. L'ensemble de toutes les lignes établies pour représenter des connexions entre divers
éléments d'un fragment d'énoncé linguistique quelconque s'appelle le
stemma de ce fragment. Par exemple, le stemma pour *le petit chat:*

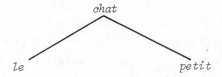

Il apparaît à l'analyse qu'un élément particulier peut en
dominer plusieurs autres, mais n'est jamais dominé par plus d'un é-
lément. Considérons en particulier une phrase simple d'une langue:
il y aura un élément qui dominera tous les autres, parmi lesquels on
en trouvera qui dépendront directement du premier élément et d'autres
qui dépendront eux-mêmes d'éléments déjà dominés. En général, on remarquera en plus qu'il existe une classe d'éléments distingués pour
le rôle de premier élément. En français, par exemple, le verbe appartient à cette classe, d'où l'appellation noeud verbal accordée
au noeud le plus élevé du stemma de toute phrase simple.

Tesnière remarque également que la description de tout é-
vénement comporte une action centrale, des acteurs et des circonstances. Il s'attend donc que le stemma d'une phrase doive comprendre ces trois types d'éléments. L'action centrale est décrite par

le noeud verbal dont dépendent les composantes qui décrivent les acteurs (ce seront les <u>actants</u>) et les composantes qui décrivent les
circonstances (ce seront les <u>circonstants</u>). Il voit une opposition
très nette entre sa conception de la structure d'une phrase et la
conception "logique" qui prévalait en grammaire traditionnelle où
une phrase s'analysait en un <u>sujet</u> (à propos duquel le message est
émis) et en un <u>prédicat</u> (qui exprime certaines propriétés du sujet).
Il souligne que cette conception logique est assez mal équilibrée,
d'abord parce qu'une seule composante de la phrase (le sujet) s'op-
pose à tout le reste de cette phrase et ensuite parce que cette conception ne tient pas compte de la ressemblance profonde entre les
actants, ni de l'opposition entre leur groupe et celui des circonstants.

b. Le choix privilégié d'un noeud verbal comme composante la plus
élevée (ou "noeud des noeuds") d'un stemma paraît justifié quand on
fait l'examen des actants. Pour tout verbe pris comme élément central de la phrase, on aura un nombre spécifique d'actants, soit obligatoires, soit permis; par exemple, *Jean ressemble* n'est pas une phrase convenable en français parce que l'élément *ressemble* requiert deux
actants. Il est possible de distinguer parmi les verbes ceux qui ne
requièrent aucun actant (*il pleut*), ceux qui requièrent un actant
(*Jean court*), deux actants (*Jean aime le sucre* ou *Jean ressemble à
Paul*), trois actants (*Jean donne un livre à Marie*)[1]. La nature des
actants permissibles dépend elle aussi du verbe; par exemple *Jean
plante des tomates* se comprend comme phrase mais non *des tomates plan-
tent Jean*. On doit donc distinguer parmi les actants un premier ac-

---

1. On pourrait même parler de 4 actants dans *Jean distribue les
    bonbons aux enfants en parts égales*; mais ceci n'est pas de
    Tesnière.

tant, un deuxième actant et un troisième actant et spécifier le type d'éléments qui convient à chacun d'eux.

Ces spécifications d'actants (nombre et type des actants) se rattachent à tout verbe et déterminent en grande partie l'organisation globale d'une phrase qui contiendrait ce verbe. Pour qu'une analyse des actants soit complète, elle doit naturellement fournir des indications sur la façon d'identifier dans l'ordre linéaire d'une langue donnée lequel des actants est le premier, le deuxième ou le troisième. La plupart du temps, l'ordre des composantes dans l'ordre linéaire constitue une indication suffisante pour ce faire (par exemple, en français, le premier actant précède habituellement le verbe alors que le deuxième le suit immédiatement). Dans d'autres langues cependant, la présence de marques spécifiques (les cas) est nécessaire pour indiquer l'identité de l'actant. Et de toutes façons, la plupart des langues connues ont recours à de telles marques pour l'identification du troisième actant.

c.   Par opposition aux actants, les circonstants ne sont pas normalement déterminés par le choix d'un verbe particulier. On peut se demander si ces derniers dépendent ou non du noeud verbal. Tesnière les considère comme des dépendants du noeud verbal: la raison en est sans doute que d'un point de vue sémantique, les circonstants apparaissent comme des informations complémentaires sur l'événement décrit sommairement par le noeud verbal et les actants qui en dépendent. Donc, en principe, le nombre et la sorte de circonstants restent sans contraintes[2]. Une des difficultés d'analyse provient de cette absen-

---

2.   Bien sûr, il n'est pas possible d'avoir dans une même phrase, deux circonstants du même type dont les sens sont incompatibles: *Paul viendra demain à 19h* mais non *Paul viendra demain dans 3 jours.*

ce de définition des circonstants; il est parfois difficile de décider si un segment particulier correspond à un actant ou à un circonstant. D'un point de vue sémantique, par exemple, on identifie intuitivement *Jean* comme un actant dans *Marie dépend de Jean* mais *de Québec* comme un circonstant dans *Marie revient de Québec*. D'un point
de vue formel, cependant, nous ne pouvons pas détecter de différences au plan de l'expression (contraintes syntagmatiques). Même si
Tesnière aborde ce problème à partir de nombreux exemples du français,
il ne parvient pas à fournir de critère satisfaisant.

d. En comparant les stemmas idéaux et l'analyse réelle des phrases,
on observe trois sortes de divergences.

     La première sorte concerne le noeud verbal. On a supposé
jusqu'ici que la position centrale de la phrase est occupée par un
élément lexical de la catégorie verbale. Mais dans bien des cas, ce
n'est pas vrai, par exemple, dans *Jean est idiot*. D'un point de vue
sémantique, la relation de dépendance est entre *Jean* et *idiot*; d'un
point de vue structural, tout se passe comme si *est* occupait la position centrale de la phrase. Tesnière suggère que c'est précisément
là la bonne manière de décrire ce phénomène: la place du noeud verbal pour des phrases de ce type est occupée par un <u>nucléus dissocié</u>
dont un élément porte la charge structurale et l'autre la charge lexicale.

Nous pouvons aussi trouver la situation opposée où des actants et même des circonstants prennent la forme de "pronoms" ou,
comme Tesnière les désigne plus habilement, d'"indices". Dans beau-

coup de langues, ces indices n'ont pas toutes les propriétés des actants et restent de fait fortement liés au verbe. Tesnière propose
d'inclure les indices avec le verbe dans un nucléus verbal complexe.

Ce qui se produit dans ces deux cas, c'est que l'organisation sémantique et celle de la syntaxe ne sont pas exactement isomor-
phes.

Une troisième sorte de divergence se produit quand l'organisation sémantique n'a rien qui manifeste une propriété sémantique
donnée: c'est le cas en particulier pour la (co-)référence. Par
exemple, dans *Jean aime sa femme, sa* dépend structuralement de *femme*, mais en même temps *sa* est lié sémantiquement à *Jean*. Tesnière
est bien obligé alors d'utiliser un signe différent pour marquer cette relation sémantique:

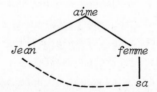

Tesnière veut caractériser les structures sémantique et
syntaxique dans une même représentation, d'une façon inséparable[3],
et il a dû inventer une nouvelle notation pour résoudre les problèmes créés par les divergences entre les deux types de structure:
voilà deux faits qu'il est important de retenir.

---

3. Ce qui fait de lui ce que nous appelons un fonctionnaliste.

3. L'origine des complexités

La plupart des phrases qu'on produit ou qu'on entend ne
sont pas des phrases simples: elles ne peuvent s'analyser simplement à partir des principes énoncés précédemment. Nous allons voir
maintenant les aspects les plus importants de la pensée de Tesnière
à propos des parties du discours et, plus généralement, à propos des
catégories de mots.

a.   Il distingue d'abord les mots pleins, qui ont une fonction
sémantique,(c'est-à-dire qu'ils sont associés directement aux idées
à transmettre) des mots vides, qui sont des outils grammaticaux,
(c'est-à-dire qu'ils marquent les relations entre les mots pleins).
Puis il distingue, parmi les mots pleins,

1° les noms (qui expriment des substances) des verbes
(qui expriment des procès) [4].

2° les notions concrètes des attributs abstraits. Il en
résulte les catégories suivantes:

	substance	procès
concret	substantif	verbe
abstrait	adjectif	adverbe

b.   Revenons au statut des phrases simples. Leur principale
caractéristique consiste dans le fait que chacune des catégories du
tableau est utilisée dans sa fonction de base: verbes et noeuds
verbaux, substantifs et actants, adjectifs et déterminants d'actants,
adverbes et circonstants. Il s'ensuit que l'emploi de marqueurs

---

4. On peut comparer cette distinction avec celle que faisait Aristote
   dont le critère était la présence ou l'absence de l'idée de temps.

grammaticaux (les mots vides) est minimisé. Les phrases complexes se dériveront de phrases simples en rendant les nucléus plus complexes, ce qui se produit essentiellement selon deux modes. L'expansion par jonction consiste "à ajouter entre eux des noeuds de même nature" (p. 323), par exemple dans *Jean et Marie mangent des beurrées de beurre de peanuts*. L'expansion par translation consiste à utiliser une unité linguistique dans une fonction qui n'est pas caractéristique de sa catégorie. Par exemple, dans *le train de Moncton* où *de Moncton* est un déterminant d'actant. Ces phénomènes impliquent des types spéciaux de marqueurs grammaticaux que Tesnière appelle des jonctifs et des translatifs. Alors que sa théorie de la jonction n'apporte rien de bien neuf à la théorie de la grammaire, celle de la translation ouvre au contraire une toute nouvelle perspective sur le fonctionnement du langage.

4. La translation

a. On doit distinguer deux sortes de translations: celles du premier degré et celles du second degré.

Une translation du premier degré est une opération qui consiste à faire remplir par un mot d'une certaine catégorie un rôle autre que celui qu'il peut avoir dans une phrase simple. Voici des exemples : *il rit jaune, il conduit mal, il meurt de faim, il achète du manger,* etc.

On peut naturellement distinguer des types de translations du premier degré selon les points d'origine et d'aboutissement de l'opération. Tesnière illustre les 12 types possibles de translations. Il montre aussi que le produit de translations est possible, c'est-à-dire qu'il observe des translations à 2, 3 et 4 étapes.

On note avec intérêt que les résultats de certaines translations peuvent apparaître, à la suite de l'évolution de la langue,
comme des unités non analysables. Ce phénomène se produit quand ces
"translations" sont intégrées au lexique de la langue; à un certain
point de cette évolution, les usagers de la langue n'ont plus à
appliquer consciemment le processus de la translation pour recréer
l'unité chaque fois qu'ils l'utilisent. Par exemple, quand on parle
des Noirs ou des Blancs, on ne voit plus le processus par lequel un
adjectif est utilisé comme actant: on trouve d'autres exemples plus
complexes, "c'est un gars *ti-jos connaissant*". Enfin, il n'est pas
impossible que des translations impliquant plusieurs étapes aient
été construites de cette façon mais qu'il n'y ait plus que la dernière ou l'avant-dernière étape qui soient actives: Tesnière
illustre ce cas par l'exemple remarquable de *méditerranéen*.

b. Les translations du second degré impliquent que toute une phrase
remplit une fonction habituellement assumée par un mot seul. Tesnière précise: alors que les translations du premier degré sont des opérations qui s'appliquent à des catégories de mots, celles du second
degré se rapportent à des changements de niveau syntaxique[5]. C'est
ce qui justifie, d'après lui, les thèmes de subordination ou d'hypotaxe
des grammaires traditionnelles.

On trouve trois sortes de translations du second degré.
L'élément d'origine est toujours une phrase.

1° à la fin de l'opération, la phrase est en fonction d'actant; il s'agit, dans les grammaires traditionnelles, des complétives:
Jean pense que Marie est folle. Dans cet exemple, le translatif que
"change une phrase en nom".

---

5. À ce sujet, voir les notions tagmémiques de changement de rang
   et de bouclage inverse.

2⁰ à la fin de l'opération, la phrase est en fonction de déterminant d'actant; c'est le cas des propositions relatives *Jean s'ennuie de Marie qui est en vacances*. Cette sorte de translation est sujette à des contraintes qui se rattachent au lien sémantique d'une certaine espèce qu'il doit y avoir entre la phrase à transférer et l'actant dont doit dépendre cette phrase après transférence.

3⁰ à la fin de l'opération, la phrase est en fonction de circonstant; c'est le cas des propositions circonstancielles. Exemple: *Jean étudie pendant que Marie est en vacances* où la circonstancielle "modifie" *Jean étudie* à la façon d'un adverbe.

On remarque qu'il n'existe pas de translation du second degré pour donner à une phrase la fonction d'un verbe. Tesnière considère que ceci est une conséquence directe de la nature de cette fonction: en fait, une translation du second degré consiste à transférer un verbe dans une autre fonction en préservant les connexions inférieures de ce verbe. Tesnière touche là un point très important qui a été repris dans la grammaire transformationnelle: il s'agit de savoir si la distinction entre premier et second degré est justifiée. C'est là une source de la dispute entre "lexicalistes" et "transformationnalistes".

5. Résumé

a. Une analyse à partir des principes de Tesnière fonctionne comme suit:

1⁰ D'abord reconnaître dans une phrase le noeud verbal, ses divers actants, et les circonstants.

2⁰ Quand noeud verbal, actant(s) ou circonstant(s) correspondent à un seul mot de la catégorie appropriée, l'analyse est finie.

3[o] Si le noeud verbal est occupé par une unité complexe, le représenter comme un nucléus dissocié, c'est-à-dire où la fonction structurale et la fonction sémantique sont disjointes.

4[o] Quand un actant ou circonstant comporte plusieurs unités du même type, identifier les jonctifs et retrouver les unités qu'ils unissent.

5[o] Quand une de ces unités comporte elle-même un composant principal et des dépendants, les séparer, tracer le stemma approprié et répéter l'étape d'analyse précédente.

6[o] À n'importe quel moment de l'analyse, il peut encore arriver que cette analyse soit interrompue à cause d'une translation; analyser alors le transféré en un translatif et un transférende qui, lui, sera soumis à l'analyse décrite de 1[o] à 6[o].

7[o] Noter enfin toute connexion sémantique qui n'est pas explicite dans les connexions syntaxiques (il s'agit, par exemple, de l'anaphore ou co-référence).

Pour être complète, la théorie devrait également rendre compte de la façon dont est formée la phrase, c'est-à-dire rendre compte des règles par lesquelles l'ordre structural est représenté dans l'ordre linéaire. Si l'on tient une telle théorie, on sera en mesure de spécifier quelles règles ont été appliquées dans la fabrication de toute phrase particulière qu'on analyse.

b. Les remarques suivantes s'imposent au sujet de la place qu'occupe ce type d'analyse, en relation surtout avec le schéma du langage proposé par Hjelmslev. Il est clair dès le départ que la syntaxe de Tesnière est fonctionnelle à peu près de la même manière que celle de Martinet. Il est aussi évident que Tesnière étudie beaucoup plus que Martinet ne l'a fait les relations entre les catégories et les fonctions.

La différence entre Martinet et Tesnière, la plus importante peut-être, apparaît quand on constate que les critères d'identification de Martinet sont essentiellement formels (puisqu'ils s'appuient seulement sur la forme de l'expression) tandis que ceux de Tesnière sont purement fonctionnels; ce dernier identifie les segments en observant simplement le rôle qu'ils jouent dans la transmission du message: le noeud verbal est donc le centre des opérations de contrainte sur le choix des actants, et les circonstants apportent indépendamment des renseignements supplémentaires. Ces critères d'identification sont en fait la contrepartie fonctionnelle de ce qui apparaît en syntaxe formelle comme des <u>contraintes sélectionnelles</u> (chapitre 7).

On doit cependant ajouter que, même si ces considérations sur le rôle de la fonction sont utiles pour l'identification des segments, elles ne sont pas à la base de la définition que Tesnière donne des composantes; cette définition est entièrement sémantique :

> Transposés du plan de la réalité dramatique sur celui de la syntaxe structurale, le procès, les acteurs et les circonstants deviennent respectivement le verbe, les actants et les circonstants. (p. 102)

On peut donc dire que Tesnière fait un pas de plus que Martinet vers une grammaire sémantique. Ceci apparaît aussi dans le fait déjà signalé qu'il éprouve le besoin de marquer indépendamment dans ses stemmas des propriétés essentiellement sémantiques. Comme les connexions "structurales" qu'il reconnaît trouvent leur base sémantique dans la définition des composantes, on en conclut que les stemmas constituent une représentation sémantique plutôt que syntaxique.

Les considérations d'ordre purement syntaxique sont associées à la notion de nucléus: dissociation, jonction et translation sont au coeur d'une vraie syntaxe fonctionnelle qui rendrait explicite le passage de la forme du contenu (ce qu'expriment les stemmas) à la forme de l'expression (représentée par l'ordre linéaire).

Textes de référence

Robinson (1968)
Tesnière (1959)

SUJETS DE REFLEXION

1. Que veut dire "deux actants dont le sens est exclusif" ?

2. Énumérez :
   a) une série de jonctifs du français;
   b) une série de translatifs du français.

3. Peut-on établir un lien entre les grammaticaux et les modalités d'une part et, les mots vides et les mots pleins d'autre part ?

4. a) Beaucoup de mots ou d'expressions du français comportent des translations qui ne sont plus vivantes dans toutes leurs étapes. Allongez la liste suivante :

   une fille comme il faut
   une blague du tonnerre

   b) Montrez qu'il est néanmoins difficile de déterminer avec précision que ces expressions sont réellement "figées".

5. Analysez à partir des principes de Tesnière les phrases suivantes :

   Pierre allait son bonhomme de chemin sans jamais regretter le passé.
   Ainsi en était-il de Marie, sa femme.

6

LA TAGMÉMIQUE DE PIKE

1. Une théorie unifiée de la structure du comportement humain

a. Le but que poursuit Pike dans l'établissement de sa théorie est avant tout la description du langage, mais dans un cadre tel qu'en principe il pourrait être utilisé pour décrire tout aspect cohérent du comportement humain.

Pour justifier cet objectif, Pike propose plusieurs exemples qui montrent en fait comment le langage reste inséparable d'autres formes de comportement. Les exemples proposés sont de deux espèces. Il y a des cas où des événements presque entièrement non linguistiques incluent une composante linguistique essentielle, comme lors de cérémonies ou de fonctions officielles. Il y a encore, à l'inverse, des cas où un comportement essentiellement

linguistique ne peut être compris sans qu'on soit au courant d'un
comportement spécifique qui n'est pas linguistique; un cas très simple pour illustrer ceci consiste dans l'emploi de "démonstratifs".
Dans une conversation, d'une façon très générale, un des partici-
pants peut commenter verbalement ou non une action d'un autre partici-
pant qui peut être elle aussi verbale ou non verbale; par exemple,
"tu ne devrais pas faire ça", commentaire d'une action inacceptable.
Il arrive parfois que des actions verbales ou non verbales soient
substituables l'une à l'autre, par exemple un froncement de sourcils
au lieu de "tu ne devrais pas faire ça".

b. L'expression ne peut être compris, dans le texte ci-dessus,
illustre ce qui constitue la caractérisation principale, selon Pike,
du comportement humain linguistique ou non linguistique. Comprendre
un aspect de comportement dans son contexte consiste à identifier son
propos, c'est-à-dire le rôle que lui assigne son auteur par rapport
à tous les aspects de son comportement d'ensemble. Quand il s'agit
du langage, cela peut impliquer des phénomènes intermédiaires comme
celui de la "signification" des éléments linguistiques. Toutefois,
en dernière instance, on ne peut nier que la compréhension d'un énoncé implique toujours la connaissance du rôle que joue cet énoncé dans
un contexte non linguistique.

On constate donc que les études de langage de Pike ont un
caractère fonctionnel, dans un sens encore plus poussé que celles de
Martinet ou de Tesnière, parce qu'il prend en considération non seulement le rôle que jouent les éléments linguistiques dans la transmission de l'information, mais également le rôle que joue l'échange
même de cette information par rapport à un contexte non linguistique
plus vaste. De plus, puisque plusieurs actes de parole servent à
d'autres fins que la transmission de l'information en soi, on constate

que l'approche de Pike s'applique à un domaine plus vaste encore
que celle des autres linguistes.

2. Les points de vue étique et émique

a. Dans l'étude de toutes sortes de systèmes, on peut distinguer
deux points de vue opposés: il y a celui du collectionneur et il
y a celui du mécanicien, ou dans les termes de Pike, l'étique et
l'émique.

L'approche "collectionneur" (étique) groupe des objets
qui apparaissent semblables à l'observation, compare ces objets
et propose parfois des généralisations d'ordre statistique.
Chaque objet est donc analysé en relation avec d'autres objets
semblables. Il est possible souvent d'établir un schéma de classification générale dans lequel tous les objets trouvent leur place.
L'approche "mécanicien" (émique) consiste à essayer d'attribuer à
chaque objet une place dans un tout, c'est-à-dire dans un assemblage
d'unités ordinairement différentes mais qui fonctionnent ensemble.
Par exemple, une classification selon le format nous fait ranger les
volants d'automobile, les pneus, les enjoliveurs de roues et les
"frisbees" ensemble, tandis qu'une classification mécanique aurait
deux classes d'objets dont la première contiendrait les frisbees
et la seconde prendrait les autres termes parce qu'ils constituent
des pièces de voiture.

Naturellement, personne n'est vraiment intéressé à un système de collection qui ignorerait complètement l'emploi ou le rôle
des objets appartenant à cette collection. En fait, on trouve de
nombreuses collections organisées selon un thème émique: par exemple, des timbres de poste aérienne ou des canettes de bière. À l'inverse, la plupart des mécaniciens sont également des collectionneurs

qui chérissent des pièces isolées pour des raisons qui ne dépendent pas d'un point de vue émique. De la même façon, l'étude du comportement et celle du langage en particulier ne séparent jamais les deux approches[1].

b. La principale différence qui existe entre les deux approches apparaît quand on considère les critères d'identité: quand peut-on dire que deux objets sont des représentants (tokens) d'un même type? Du point de vue étique, il nous faut comparer les caractéristiques mesurables des deux objets et établir des seuils pour les mesures. Si la différence entre les deux objets n'excède pas leur seuil mesurable, on doit alors considérer ces objets comme identiques. Du point de vue émique, par contre, on portera l'attention sur le rôle que joue un objet dans un système. Deux objets seront considérés identiques si et seulement si ils sont substituables quant à leur rôle dans le système[2]. Les activités de collage, de bricolage et de métaphore, exploitent la différence entre ces deux types d'identité.

3. La corrélation classe/emplacement[3]

a. Reprenons l'exemple du mécanicien examinant une voiture. En examinant les pièces et leurs positions relatives et en tenant compte de son expérience des voitures, il sera capable d'identifier l'utilisation de ces pièces. Dans le cas ou l'une de ces pièces ne fonctionne plus, il pourra la remplacer par une autre d'une forme identique;

---

1. L'existence de diverses classifications typologiques et des études de phonétique suffisent à illustrer ce point.
2. Voir commutation (3.2.).
3. Emplacement est une traduction de slot.

ou bien, à défaut de la pièce détachée qui convient, il peut souvent
en improviser une qui sera identique à la première d'un point de
vue émique, par le fait qu'elle correspondra approximativement à
l'emploi particulier qui lui est destiné. On peut donc imaginer la
possibilité de déterminer toute une classe de pièces de remplacement
possibles pour une pièce particulière.

L'expérience que le mécanicien possède des différentes voitures l'amène à avoir des idées spécifiques sur ce qu'il peut trouver
sous le capot d'une voiture. Quand il examine une voiture d'un
type inconnu, il cherche des unités spécifiques. S'il n'arrive
pas à découvrir une de ces unités, il cherchera à se renseigner sur
l'unité qui correspond au rôle particulier qu'il avait en tête.

Nous pouvons formaliser ces observations en disant qu'un
ensemble organisé n'est pas constitué de pièces spécifiques mais de
rôles spécifiques; à chacun de ces rôles spécifiques correspond une
classe de pièces possibles. En d'autres mots, l'unité d'organisation de base (le tagmème) dans une description de type émique consistera dans une corrélation entre un emplacement (c'est-à-dire le rôle)
et une classe des éléments qui peuvent remplir ce rôle. On note avec
intérêt que ce fait est implicitement reconnu dans l'usage quotidien:
on appelle *match de hockey* à la fois l'occasion (l'emplacement) et les
performances sportives qui peuvent s'y dérouler (les éléments de cette
classe). *Mariage* est un autre exemple: l'occasion (l'emplacement)
et les rites de la cérémonie. Le plus souvent, on désigne une chose
par la fonction qu'elle peut remplir: on a toute une variété d'exemples
qui vont de l'ordinateur à la souffleuse à neige. Il est plus rare de
désigner des choses selon leurs seules caractéristiques étiques comme
dans *verre à eau* ou *vis sans fin*.

b. Il est maintenant possible de voir comment la fonction d'une unité particulière est prise en considération dans le système de Pike: les relations d'une "pièce" individuelle par rapport à tout un ensemble complexe de comportements forment un réseau difficile à démêler et ces relations ne peuvent être déterminées en une seule étape. On ne peut habituellement identifier le rôle d'une unité que par rapport à un sous-ensemble restreint de tout le réseau. Chacun de ces sous-ensembles peut être placé d'une façon émique dans une subdivision plus large et ainsi de suite jusqu'à ce que tout le réseau ait été considéré. Une description fonctionnelle dans cette manière apparaît donc comme une hiérarchie de corrélations classe/emplacement, où un emplacement constitue l'élément de base des unités du niveau immédiatement supérieur et où, inversement, les éléments se décrivent eux-mêmes en termes d'emplacements du niveau immédiatement inférieur.

La nécessité de procéder ainsi a été perçue par Martinet[4] mais ce dernier ne le dit pas explicitement dans sa terminologie ni dans sa théorie; c'est là ce qui cause les ambiguïtés déjà notées (4.3.): étant donné une fonction particulière, faut-il l'attribuer au syntagme ou à l'élément principal de ce syntagme[5] ?

Dans certaines conditions, des unités d'un niveau particulier peuvent jouer par elles-mêmes le rôle d'une unité de niveau supérieur dont normalement elles ne devraient être qu'une partie. Par exemple, dans *l'homme n'est ni ange ni bête*, *ange* et *bête* jouent le rôle d'un groupe nominal complet dont ils ne seraient normalement que des parties dans, par exemple, *qui veut faire l'ange fait la bête*. Ce

---

4. Il suffit de constater à ce sujet le parallélisme frappant entre son traitement des monèmes et celui des syntagmes.

5. À ce sujet, voir aussi la distinction que fait Tesnière entre les translations du premier et du second degré.

phénomène est appelé changement de rang. Par ailleurs, dans le phénomène de bouclage inverse, une unité de niveau supérieur peut être
utilisée comme élément dans un emplacement de niveau inférieur; on
peut par exemple, trouver toute une proposition remplissant un emplacement du niveau du groupe de mots. *Les élections qui se déroulent
actuellement au Canada sont une grosse farce.* Ces notions (changement de rang et bouclage inverse) sont de toute évidence reliées à la
notion de translation proposée par Tesnière.

Dans la plupart des cas, le linguiste, en effectuant des
recherches de cette sorte, ne va pas essayer de déterminer toute la
hiérarchie classes/emplacements. Il peut se contenter de l'examen
de l'organisation générale en négligeant les analyses de détail, ou
bien, étudier les détails d'un aspect particulier en considérant
comme acquises les relations d'ensemble (ce qui ne veut pas dire qu'il
les ignore). Dans cette variation de champ, on observe que la notion
de fonction qui, nous l'avons déjà vu, est composite, est également
relative. Si le système de Pike ne contribue pas à rendre cette
notion plus simple, il la replace néanmoins dans une perspective plus
adéquate.

4. Les trois modes

a. Chaque unité émique est reliée à d'autres unités émiques de
plusieurs façons. Pike distingue pour ces relations trois types qu'il
appelle modes. La hiérarchie qui est au coeur de son système apparaît
donc sous trois aspects: le mode de la caractérisation, le mode de
la distribution et le mode de la manifestation.

Une unité émique se caractérise par le fait qu'elle se distingue de toutes les autres unités du même niveau. Pour l'identifier,
on doit spécifier la manière dont cette unité contraste avec les autres. Ces critères d'identification contrastive ou, en d'autres mots,
les traits, doivent être présents tous à la fois pour l'identification d'une unité particulière.

b. Une unité émique est également reliée à d'autres unités émiques du fait de sa possibilité d'occurrence: puisque cette unité
fait partie de la classe des éléments qui remplissent un emplacement,
elle est reliée aux autres membres de cette même classe. De plus,
comme remplisseur d'un emplacement particulier, une telle unité est
également reliée aux remplisseurs des autres emplacements et à l'unité supérieure qui comprend cet emplacement. Inversement, comme unité
composée d'emplacements, elle est reliée aux remplisseurs de ces emplacements. Notons que toutes ces relations sont celles que Saussure
appelle des relations in praesentia (ou relations syntagmatiques), à
l'exception de la première espèce de ces relations (l'appartenance à
une classe) qu'on classerait plutôt dans les relations in absentia
(ou les relations paradigmatiques), et qui est plus proche du mode
de la caractérisation: les divers éléments qui remplissent un même
emplacement sont en opposition et sont caractérisés par des différences au niveau des traits.

c. Finalement, une unité émique doit être perceptible, ce qui veut
dire que sa présence doit être détectée par l'interlocuteur. La
plupart des unités émiques sont donc associées à des manifestations
d'ordre physique qui peuvent varier selon les circonstances; par exemple, les pluriels de *vieil* et de *adorable enfant* ne sont pas marqués
de la même manière mais demeurent la même unité émique. L'aspect
primordial du mode de la manifestation est donc de se rapporter à
des variantes d'ordre physique qui sont mutuellement exclusives par
leur nature même.

Les trois approches à l'étude d'une hiérarchie des unités
émiques concernent les mêmes phénomènes mais les abordent par différentes facettes. Il est nécessaire, selon Pike, de tenir compte
de ces trois composantes dans une description du comportement. Les
unités émiques sont alors définies par les relations qu'elles entretiennent dans les trois modes. Il y a évidemment interaction entre
les trois modes (par exemple, les manifestations sont souvent con-
ditionnées par des aspects de la distribution), mais Pike soutient
qu'il n'est pas possible de dériver aucun de ces trois modes à partir des deux autres.

5. Les unités minimales et les unités complexes

Le tableau suivant résume les principaux points mentionnés
ci-dessus. Chacun des trois modes comprend des unités minimales et
des constructions plus larges qui sont nécessaires pour la description dans un mode particulier; de plus, le tableau comprend dans les
trois colonnes de droite une liste des phénomènes dans chacun des
trois modes, relatifs à chaque type d'unité.

	Unité minimale	Constructions	Phénomènes de manifestation	Phénomènes de caractérisation de traits	Phénomène de distribution
Mode de la manifestation	Phonème (schéma d'oppositions sonores)	Hyperphonèmes (syllabes, groupes accentuels, etc.)	Mouvements articulatoires (point de départ physique)	Traits distinctifs de la phonologie (phonématique)	Privilèges d'occurrence dans la formation des syllabes, etc. (phonotactique)
Mode de la caractérisation	Morphèmes (piles de traits de sélection)	Hypermorphèmes (propositions complétives, relatives, circonstancielles, etc.)	Séquences de phonèmes (allomorphes)	Caractérisation aux hypermorphèmes de niveaux plus élevés (établissement de classes)	Participation aux hypermorphèmes de niveaux plus élevés (contraintes de sélection)
Mode de la distribution	Tagmème (corrélation classe/emplacement)	Hypertagmèmes essentiellement complexes (aucune composante n'est facultative)	Remplissage d'un emplacement par un morphème (c'est-à-dire l'attribution d'une place à du matériel morphémique)	Sens "structural" "Sens de classe" Sélection de classes	Possibilité d'occurrence dans des emplacements de niveaux plus élevés

6. Particules et ondes

Toute activité humaine se situe dans le temps et peut approximativement se décrire comme une succession d'événements. Ceux qui participent à une activité donnée, ou les observateurs, quand ils sont initiés au système émique qui correspond, n'éprouvent pas de difficulté, la plupart du temps, à identifier les différents segments qui composent cette activité, c'est-à-dire les différents groupements d'événements dans le temps, qui forment les unités émiques (certains de ces groupements peuvent se présenter simultanément). En fait, nous faisons référence à de tels segments quand nous parlons de nos actes, par exemple, la troisième période de la partie de hockey, la pause-café du matin, etc.

La manifestation physique de notre activité ne révèle cependant pas de démarcation nette entre les segments successifs qu'on reconnaît du point de vue émique. Une observation de type étique ne nous fait voir qu'une évolution physique continue accompagnée parfois de types spéciaux de comportement qui sont interprétés émiquement comme des signaux indiquant le passage d'un segment à un autre. Par exemple, les gestes d'un professeur qui indiquent qu'il va commencer son cours, etc.

Mais, même quand de tels signaux émiques sont présents, il y a toujours un manque nécessaire de coordination entre les diverses parties d'un comportement complexe: rien n'empêche, par exemple, le bavardage des étudiants de continuer après le début du cours. Dans le cas d'événements de langage, des phénomènes comme le sandhi (ou l'accord) peuvent rendre obscures les limites des segments: par exemple, *I dunno* ou *la grande montagne blanche*. Même si l'on peut énumérer les segments émiques, on doit se rappeler que leur manifestation se présente comme une succession d'ondes d'activité physique

7. Schéma d'une analyse tagmémique

La théorie que nous venons de résumer s'applique, en principe, à n'importe quel type de comportement. Nous ne considérons ici
que l'analyse d'un type de comportement spécifique, les faits de langage.

1° Tout d'abord, il faut naturellement établir, du point de
vue étique, une description soignée des événements; il s'agira donc
dans ce cas de fournir une transcription phonétique complétée par
des remarques pertinentes sur le sens. À la fin de cette étape, on
doit fournir une segmentation étique du matériel sonore; elle vise
à faire ressortir les segments récurrents et les conditions dans
lesquelles ils se présentent.

2° On doit ensuite regrouper les segments étiques qui se
présentent comme des manifestations des mêmes unités émiques (c'est-
à-dire qui s'insèrent dans les mêmes emplacements sans s'opposer ou
alors qui ne peuvent pas s'insérer dans les mêmes emplacements mais
possèdent les mêmes propriétés relationnelles; la détermination de
ces propriétés requiert l'application des étapes 3 et 4.

3° Après avoir obtenu des unités émiques provisoires (2e
étape), on détermine leurs traits dans le mode de la caractérisation
ce qui se fait en étudiant leurs propriétés contrastives par rapport
aux autres membres de la même classe (4e étape).

4° Il faut établir la distribution des unités ainsi caractérisées (3e étape) par rapport aux autres unités de même niveau et
à celles de niveaux supérieurs (ce qui implique la 2e étape).

On observe, après avoir parcouru chacune des 4 étapes qui,
comme on l'a vu, se compénètrent constamment, qu'il ne peut naturellement y avoir de procédure déterministe qui irait des données de

départ à une description émique. Il faut donc s'attendre à répéter
les étapes 2, 3, et 4 autant de fois qu'il est nécessaire et au fur
et à mesure que de nouveaux problèmes surgissent à l'une ou l'autre
de ces étapes.

Il s'ensuit également que la première étape fait l'objet
d'une étude minutieuse et ardue puisqu'on ne peut prédire à ce moment-
là ce qui sera pertinent pour les étapes suivantes. En pratique, il
faudra la plupart du temps, revenir aux données originales, quand on
en dispose, pour de plus amples renseignements.

.

8. La tagmémique et les autres théories

Bien des idées et des notions présentées par Pike et les
autres chercheurs utilisant la théorie tagmémique se retrouvent sous
des formes diverses dans d'autres types d'analyse linguistique. L'aspect sans doute le plus particulier à la théorie tagmémique est l'a-
nalyse trimodale. La théorie du langage proposée par Pike est déci-
dément pluraliste, puisque, tout en reconnaissant des relations entre
les trois modes de la hiérarchie linguistique, elle refuse de réduire l'un quelconque de ces trois modes aux deux autres. Cette réduction se trouve précisément être l'objectif d'autres linguistes.

Développant la notion saussurienne de valeur, les linguistes du Cercle Linguistique de Prague ont élaboré un modèle "means-
ends" du langage où les notions centrales sont celles d'opposition
pertinente et de trait distinctif. La langue est décrite comme un
système d'oppositions, dont on peut dériver toutes les autres propriétés linguistiques.

Au contraire, les distributionnalistes maintiennent que
toutes les propriétés du langage peuvent être décrites d'après sa

structure distributionnelle, à laquelle sont subordonnés les faits de manifestation. La caractérisation par traits des unités linguistiques n'apparaît que comme une reformulation de la structure distributionnelle.

Nous serions tentés de rechercher une vue de la structure linguistique fondée sur le mode de la manifestation. Le fait que personne n'ait proposé un tel point de vue semble lié à la nature particulière de ce mode, qui concerne l'aspect purement physique des systèmes linguistiques.

On peut rapprocher le concept d'ensemble de la hiérarchie du langage de certains aspects des modèles stratificationnels (chapitre 13), où la notion de tagmème (corrélation classe/emplacement) est réalisée d'une manière complètement différente, quoique tout aussi systématique.

Textes de référence

Cook (1964)
Pike (1967)
Roulet (1969), p. 1 à 90

SUJETS DE REFLEXION

1. Montrez qu'une description des unités étiques selon les trois modes est difficile sinon impossible.

2. En japonais, le quantificateur prend une forme lexicale différente selon que l'on compte des hommes, des tables, des montagnes, etc.; cette distinction se fait-elle du point de vue émique ou du point de vue étique ?

3. Qu'est-ce qui permet de dire que la théorie tagmémique ouvre sur des considérations d'ordre sociolinguistique ?

4. Donnez des exemples où les manifestations sont contraintes par des aspects de la distribution.

5. En s'appuyant sur la description fournie par Roulet (1969), ajoutez l'analyse de phrases de votre cru.

7

UNE SYNTAXE FORMELLE

1. La nécessité d'avoir une syntaxe formelle

a. L'analyse la plus approfondie de la notion de fonction est probablement, comme nous l'avons vu, celle que présente Pike dans sa tagmémique. En principe, ce cadre théorique donne la possibilité aux
linguistes de rendre compte non seulement de la fonction représenta-
tive du langage, qui joue un rôle de premier plan dans les analyses de Martinet, mais également des autres fonctions d'actes de parole comme les présente Jacobson: la fonction conative et même la
fonction phatique. Puisque les actes de parole soumis à l'analyse
sont enchâssés dans un contexte de comportement non verbal, ils peuvent être considérés comme des unités remplissant des emplacements
fonctionnels dans l'ensemble du comportement.

Il devient alors très intéressant de noter que Pike ne four-

nit pas une méthode pour des analyses émiques. Comme nous l'avons
vu en 6.7 la première étape de son analyse consiste dans une description très soignée de type étique, où tous les détails sont notés
comme ayant une importance égale. La découverte d'une organisation
émique dans les données de base ne peut être considérée comme résultant d'une procédure déterministe, précisément parce que le système
émique se satisfait à lui-même et, de plus, est arbitraire[1], c'est-
à-dire que cette découverte ne pourrait pas se fonder sur des "causes"
ou des "raisons" extérieures ou physiques. Il s'ensuit que la découverte des unités émiques et de leurs relations doit se faire au moyen
d'une procédure par essai et erreurs répétée autant de fois qu'il le
faut jusqu'à ce qu'une hypothèse puisse être formulée qui permette
une vision satisfaisante du rôle des différents éléments mis en évidence dans la description étique.

b. On ne peut nier qu'un des buts ultimes d'une analyse linguistique,
et d'une façon plus générale, de l'analyse du comportement humain est
de spécifier le rôle, ou la fonction, des éléments que l'analyse met
en évidence. En fait, une analyse qui ne tient pas compte de la
notion de fonction risque fort d'être inutile. C'est pourquoi Martinet
insiste sur la notion de pertinence en disant que l'observation d'un
objet reste conditionnée par les objectifs que nous nous sommes fixés
au départ: puisque les linguistes s'intéressent au langage comme
moyen de communication, ils ne doivent s'attacher qu'à l'étude des
propriétés du langage qui sont pertinentes pour la communication.

Mais c'est précisément là que réside la principale difficulté. La plupart des fonctionnalistes posent au départ un certain

---

1. Voir à ce sujet la notion de l'arbitraire du signe discutée par
   Saussure.

nombre d'hypothèses concernant la communication par le langage (ou
la communication en général) et choisissent ou rejettent dès lors
certains aspects du langage à partir de ces hypothèses. Le problème
réside dans le fait qu'il n'y a pas d'autres preuves que ces hypothèses sur les phénomènes de la communication soient valables. Il est
alors évident que nous risquons fort de faire des pétitions de principe. Martinet lui-même le fait remarquer: nos intuitions sémantiques pour la plupart sont fondées, en fait, sur des "données formelles",
c'est-à-dire sur des données rattachées à la forme de l'expression
de la langue à l'étude[2]. Nous utilisons donc intuitivement notre
connaissance de la forme de l'expression pour justifier des analyses
de cette même forme de l'expression. Naturellement, ceci devient impossible dans les cas cruciaux les plus importants, savoir les analyses de langues inconnues. On sait que c'est de cette façon que beaucoup de linguistes américains se sont formés entre autres Pike (qui,
comme nous l'avons vu, souligne l'importance d'une description étique
comme point de départ) et les descriptivistes néo-bloomfieldiens.

c. Bloomfield a bien mis l'accent sur la nécessité de l'observation
objective. Il admet que le langage s'utilise pour la transmission
du sens. Il fait remarquer cependant que le sens soit constitue une
construction mentale qui échappe tout à fait à l'observation, soit se
révèle dans des événements tellement nombreux et détaillés entourant
l'acte de parole qu'une observation valable dans de telles conditions
s'avère pratiquement aussi irréalisable que celle d'une réalité d'ordre mental. Il en conclut que la linguistique ne peut pas vraiment
être une science et que l'analyse des formes de l'expression, bien
qu'elle soit utile pour toutes sortes de raisons, reste plutôt une

---

2. Martinet (1962), chapitre 2.

espèce d'art s'appuyant essentiellement sur les intuitions du chercheur[3].

d. Parmi les étudiants de Bloomfield et leurs contemporains,
plusieurs ont essayé de contourner cet obstacle. Ce sont ceux qui
sont désignés souvent comme néo-bloomfieldiens (parce qu'ils ont
consacré une bonne part de leur activité à poursuivre et à développer
les travaux de Bloomfield) ou d'une façon plus générale, descriptivistes (à cause de l'accent qu'ils mettaient sur des méthodes de
description des langues par opposition à des considérations théoriques
sur la nature du langage). Le but principal de ces linguistes
consistait à développer des procédures objectives de description
afin d'éviter toute espèce de recours à l'intuition. Leur réponse
à l'argument de Bloomfield sur l'impossibilité de conduire des
travaux de cette façon était qu'il n'était pas nécessaire, pour
décrire et classer les formes d'expression d'une langue, de connaître
le sens de ces formes, et même que cette connaissance pouvait souvent
fausser l'analyse. Tout ce qu'ils considéraient comme absolument
nécessaire était de savoir si un énoncé particulier était possible
dans une langue et si deux énoncés possibles étaient identiques ou
différents. Ils cherchaient donc ainsi à réduire au maximum le recours
aux intuitions des autophones, même si ce recours, comme la plupart
d'entre eux le reconnaissaient, était inévitable. Ils remplaçaient
le recours à des jugements plus élaborés par une comptabilité
pointilleuse.

---

3. Malgré cette prise de position, Bloomfield n'en a pas moins essayé
   de mener ses analyses de la façon la plus rigoureuse possible et
   de fournir effectivement d'excellentes descriptions de langues
   qui lui étaient au départ totalement étrangères.

2. Principes de la linguistique formelle

a. Le premier type de données sur lequel se fonde une analyse formelle du langage concerne l'ensemble des énoncés <u>possibles</u>. La notion d'<u>énoncé possible</u> présente plusieurs aspects qu'il est nécessaire de distinguer. Un énoncé peut être approprié dans certaines circonstances et ne pas l'être dans d'autres pour des raisons relatives à la situation, et toujours reliées en fin de compte à la signification de cet énoncé. Il faudra, naturellement, éviter que cela cause des interférences dans notre étude de la forme de l'expression. On distingue donc entre la bonne forme de l'expression et l'acceptabilité; celle-ci implique à la fois bonne forme et adaptation au contexte linguistique ou situationnel. Il peut même arriver qu'un énoncé particulier soit complètement dénué de signification (par exemple, *colourless ideas sleep furiously*) mais n'en soit pas moins conforme aux régularités de la forme de l'expression. Il sera évidemment difficile sinon impossible d'obtenir d'un informateur des jugements qui portent purement sur la bonne forme de l'expression. Certains chercheurs ont essayé d'éviter ce problème en observant uniquement des occurrences d'énoncés dans le discours des autophones. Mais on trouve dans le langage ordinaire bien des énoncés qui ne sont pas bien formés selon le jugement des autophones eux-mêmes (c'est-à-dire que la dynamique d'un événement de communication prend souvent le dessus sur de simples considérations de bonne forme). De plus, comme Chomsky l'a fait remarquer, la simple occurrence d'un énoncé, même bien formé, ne rend pas cet énoncé plus représentatif que les innombrables autres énoncés possibles qui ne se présentent pas à l'observation. Donc, il est absolument nécessaire de recourir aux autophones mais, de plus, le chercheur doit distinguer dans leurs jugements ce qui se rapporte à la bonne forme de ce qui se rapporte à l'acceptabilité. Cette difficulté, parmi d'autres, a rapidement fait s'évanouir tout espoir d'établir des <u>procédures de découverte</u>

en linguistique formelle. Mais une fois que ce faux espoir a été é-
liminé, les principes de cette approche deviennent d'autant plus
clairs et plus utiles.

b. Le second type de jugements qu'il faut obtenir des autophones concerne les critères d'identité émique. Comme Pike le soulignait, il
est impossible,à partir de critères purement externes, de déterminer
si deux événements physiques doivent être considérés comme des manifestations du même phénomène dans un système émique. Nous pouvons
donc considérer l'approche par la description formelle comme un com-
promis entre une étude de type purement étique qui se révélerait en
fin de compte inutile et une dépendance excessive des intuitions
sémantiques qui nous induisent souvent en erreur pour les raisons que
nous avons vu en 1.3. Le descriptiviste va donc utiliser l'aspect
indispensable de l'intuition de l'autophone, c'est-à-dire ce qui le
rendra apte à percevoir des différences entre deux messages ou, inversement, à reconnaître le même message dans deux événements physi-
quement différents. Le reste de la tâche du descriptiviste, il faut
l'espérer, se ramène à observer des régularités et à établir des unités abstraites pour en rendre compte.

Deux aspects de cette approche sont évidents. On observe
d'abord que les difficultés qui entourent les jugements sur la bonne
forme vont également se présenter, quoique sous une forme amoin-
drie, pour les jugements sur l'identité. On a beaucoup écrit à ce
sujet: on a suggéré des techniques pour contourner ces difficultés.
On observe ensuite, et c'est beaucoup plus important, que les descriptivistes ne rejettent pas[4] hors de la linguistique l'étude du
sens et de la fonction: ceci rendrait leur travail de linguiste com-

---

4. Sauf dans certaines de leurs déclarations extrémistes qu'on a le
   plus souvent citées hors contexte.

plètement inutile. Mais ils rejettent toute hypothèse <u>non suffisam-</u>
<u>ment justifiée</u> concernant la nature du sens ou celle du lien fonc-
tionnel entre les énoncés et l'ensemble du comportement. La seule
hypothèse qui leur paraît acceptable consiste à dire qu'un autophone est capable de reconnaître un message dans sa langue, c'est-à-dire,

     1° de le distinguer des événements qui ne constituent pas
des messages,

     2° de distinguer ce message d'autres messages.
La plupart des descriptivistes espèrent qu'une étude approfondie de
la forme de l'expression constituera une base plus solide pour des
études fonctionnelles et que c'est de cette façon qu'une compréhension du fonctionnement du langage sera atteinte en fin de compte. Il
est intéressant de noter à ce sujet que plusieurs descriptivistes
se sont intéressés à des études dans un domaine plus vaste incluant
la communication animale, la kinésique, etc.

c. L'étude des régularités au plan de l'expression confirme rapidement une analyse intuitive que nous faisions du langage en sons, mots,
locutions, etc. D'un point de vue formel, cette stratification du
langage apparaît comme ceci: on observe des régularités dans l'emploi
de types de sons dont on peut rendre compte au moyen des concepts habituels de la phonologie. Mais on s'aperçoît rapidement que certains
groupements de sons permis par nos règles phonologiques ne sont pas
toujours possibles dans la langue; ce fait doit être alors attribué
à l'existence d'unités de niveaux supérieurs dont les groupements de
sons ne sont qu'une manifestation. Ainsi, le groupement de sons
/lələ/ est bien formé en français comme il apparaît dans *Appelle-le*
Lechat. Pourtant, on rejette *Le le chat est malade*. On ne peut donc
attribuer cette impossibilité aux règles de la phonologie. On doit
l'attribuer à des relations entre <u>morphèmes</u>, manifestées extérieure-
ment par les schémas de sons /apɛl/, /lə/, /ʃa/, /ləʃa/· Ce même prin-

cipe nous conduit à établir divers types d'unités organisées en plusieurs niveaux. Un niveau de description comporte des unités d'un
certain type et les règles qui établissent des relations entre ces
unités. Une description de la forme d'une langue consistera en un
certain nombre de niveaux de description et de règles qui relient
ces différents niveaux. De cette manière, la bonne forme d'une unité d'une langue donnée s'exprime au moyen de règles qui expliquent,
d'une part la composition de cette unité en termes de combinaisons
possibles entre unités d'un niveau inférieur, et d'autre part la bonne forme de tous les niveaux inférieurs.

d. Cette conception du langage comme hiérarchie d'unités de niveaux
différents incite à se poser la question de l'étendue maximale de
notre étude: en d'autres termes, quelle sera l'unité la plus grande
à décrire? Dans la théorie de Pike, chaque unité est identifiée par
le rôle qu'elle joue dans des ensembles plus vastes: il n'y aurait
donc pas, à priori, de niveau maximal de description. Cependant, une
étude qui se limite à la description de la forme de l'expression linguistique mettra peut-être en évidence un type d'unités tel que toutes
les combinaisons de ces unités seront elles-mêmes bien formées (c'est-
à-dire un type d'unités qui n'est plus soumis à des contraintes syntagmatiques). Beaucoup de linguistes ont pensé (et plusieurs le
pensent encore) qu'en première approximation, la phrase, que l'on
pourrait définir comme l'unité libre minimale de message, possède de
plus cette intéressante propriété. Cela implique l'hypothèse que
toute succession de phrases constituerait un discours bien formé du
point de vue de l'expression, c'est-à-dire que toutes les contraintes
sur la composition des discours seront sémantiques.

Si cette hypothèse est acceptée on peut alors, pour les
besoins de la description, représenter une langue comme un ensemble

dont les éléments sont exactement les phrases bien formées de cette
langue. Il suit que la description d'une langue équivaudra alors à
une description de la structure interne de cet ensemble: on compare-
ra les phrases,et leurs similitudes ou différences seront représentées
par les relations syntagmatiques et paradigmatiques qu'entretiennent
les unités de niveau inférieur dont la combinaison forme les phrases
de la langue.

3. Phénomènes syntaxiques de base

a. Les phrases peuvent être différentes de deux façons. Le premier
type de différence porte sur l'ordre des unités qui les composent.
Cet ordre n'est cependant pas simplement une question de simple succession linéaire des unités puisque, comme l'ont fait remarquer Martinet et d'autres linguistes, l'ordre de succession des unités n'est
pas toujours pertinent pour l'identification d'un message. Par exemple, *Paul voit Jean* est différent de *Jean voit Paul* mais *Paulus videt
Johannem* n'est pas linguistiquement un objet distinct de *Johannem
videt Paulus*. Ce qui semble être pertinent dans l'ordre des unités,
c'est la manifestation de la manière dont les unités doivent être
groupées en un certain arrangement hiérarchique: par exemple, dans
Veux-tu ton steak bien cuit, il semble que *bien cuit* doit être rattaché à la fois à *veux* et à *steak*; mais dans *J'ai un steak bien cuit*,
bien cuit n'est plus rattaché directement qu'à *steak*.

b. Dans l'exemple latin ci-dessus, le phénomène pertinent n'est apparamment pas l'ordre mais le choix particulier des terminaisons dans
Johannem et Paulus. A la suite de Bloomfield, on appellera phénomènes de sélection tous les phénomènes de choix qui sont pertinents
pour l'identification d'un message. De la même façon, le choix de

Paul- plutôt que *Petr-* ou celui de la terminaison *-et* plutôt que *-it*
appartient au domaine des phénomènes de sélection. Alors que la plupart
des phénomènes d'ordre sont caractéristiques de la bonne forme élémentaire de l'expression (par exemple, l'obligation de placer la terminaison
-et après et non avant *vid-*), il reste souvent difficile de décider si
un phénomène particulier de sélection n'est pas tout simplement un
aspect du sens en soi. Il faudrait revenir sur ce point. Il n'en
reste pas moins, d'un point de vue descriptiviste, qu'une contrainte
de sélection particulière est, comme une contrainte d'ordre, un fait
d'expression. Si de telles contraintes manifestent des aspects du
sens, ce ne peut être que par le biais de la fonction sémiotique du
langage et elles doivent dès lors être analysées et décrites lorsque
nous décrivons le "côté expression" de la fonction sémiotique.

4. Les modèles

a. La linguistique formelle, comme d'autres disciplines scien-
tifiques, utilise des modèles. Un modèle est un objet construit par
le chercheur pour rendre compte des objets à l'étude. L'objet construit peut être concret, par exemple un planétarium, ou un modèle à
l'échelle d'un moteur à explosion. Il peut être abstrait comme dans
le cas d'un ensemble d'équations mathématiques décrivant une propa-
gation d'ondes particulière.

La principale caractéristique d'un modèle réside dans le
fait que certains de ses aspects représentent un aspect de la réalité que le chercheur essaie de définir. Cette relation de représentation se doit d'être explicite: il faut spécifier quels aspects du
modèle sont effectivement représentatifs et quels aspects de la réa-

lité doivent correspondre avec les aspects du modèle. Du fait qu'un
modèle est bâti avec des matériaux (concrets ou abstraits) différents
de ceux qui composent l'objet, il suit que seuls des aspects relationnels de l'objet peuvent être décrits dans le modèle. C'est dans ce
sens que les modèles constituent un triomphe de l'approche structurale.

b. Un modèle se révèle utile à plusieurs points de vue.

1° Il nous permet de mesurer l'exactitude de nos connaissances parce qu'il met en évidence des relations qui découlent de nos
hypothèses. La vérification de ces prédictions par interprétation
et comparaison avec le phénomène observable constitue une grande partie de l'activité scientifique.

2° Un modèle donne une meilleure compréhension intuitive
des phénomènes étudiés par analogie avec un domaine que nous comprenons mieux. Par exemple, on a développé à la fin du XIXe siècle un
certain nombre de modèles mécaniques pour l'explication des phénomènes électromagnétiques. Mais c'est la démarche inverse qui prévaut
actuellement.

3° Quand un modèle s'applique à plusieurs types d'objets
non antérieurement mis en relation, de nouvelles lignes d'unifica-
tion entre différents domaines de la recherche scientifique font leur
apparition[5].

4° Il s'agit du point peut-être le plus important. Les
parties du modèle qui ne sont pas directement interprétables suggè-

-----

5 . Cette constatation s'applique particulièrement aux modèles mathématiques parce que leur caractère abstrait les rend indépendants
de toute interprétation particulière.

rent de nouvelles questions sur l'objet de l'étude et ce, dans le but
de pouvoir interpréter ces nouvelles parties. Il importe peu que cet
essai d'interprétation se solde par une réussite ou un échec: le modèle aura été utile pour nous faire progresser dans la connaissance
de l'objet.

c. Les recherches en linguistique formelle ont utilisé principalement deux types de modèles applicables en particulier à la syntaxe;
à la suite de Hockett qui en a fait une analyse assez fouillée, on
les désigne sous les étiquettes IA et IP.

Le modèle item et arrangement (IA) fut populaire chez les
distributionnalistes (c'est-à-dire les linguistes qui considéraient
que toute recherche linguistique est fondée sur l'étude de la distribution des unités). Dans ce modèle, tout objet linguistique est représenté par des items (c'est-à-dire d'autres objets linguistiques)
placés selon des arrangements spécifiques dont les régularités peuvent s'exprimer dans des tables, par exemple les "morpheme order
charts". Ainsi, *allons* est une unité (un mot) ; cette unité est
composée de l'item *all* (un morphème) et *1* pl (un autre morphème)
arrangés dans cet ordre. Chacun des morphèmes est ensuite représenté comme un arrangement (la plupart du temps une séquence) de phonèmes ou d'autres éléments phoniques distinctifs.

Dans le modèle item et processus (IP), on attribue moins
d'importance à la disposition d'unités invariables. Au contraire,
le principe de base est que les différentes unités qu'on peut observer dans la parole peuvent se dériver d'un certain nombre d'invariants
primordiaux par des processus dont les régularités s'expriment par
des règles. Revoyons l'exemple de tantôt. *Allons* peut être considéré comme dérivé de *aller* par une règle de formation du *1* pl ; dans ce
cas, cette règle affecte la fin de l'unité: elle change la terminai-

son. L'utilisation du concept de processus permet d'éviter des difficultés inhérentes, par exemple, à la séparation des représentations
phonémiques de *aller* et de *3* pl dans *vont* qui représente un cas ex-
trême. Par contre, toute représentation IP doit partir d'un énoncé
des unités fondamentales; quand un objet particulier contient plus d'une
de ces unités, il est nécessaire de les placer dans un certain arrangement. Les processus à décrire dépendront alors, en général, de
l'arrangement de base prévu. Il apparaît donc qu'une description linguistique peut s'appuyer théoriquement sur une analyse purement IA mais
non sur une analyse purement IP. Mais, comme une analyse purement IA
nous entraîne dans des cas très compliqués, la plupart des linguistes
utiliseront une combinaison des deux types d'analyse dans leurs descriptions.

Textes de référence

Bloomfield (1933), chapitres 10 et 12
Chomsky (1957), chapitre 2
Harris (1951), chapitre 2
Hockett (1954)
Joos (1950)

SUJETS DE RÉFLEXION

1. Qu'est-ce qui a amené progressivement les linguistes de la première moitié du XXe siècle à considérer que l'étude objective des langues devait se faire sans considérations "sémantiques" (ou intuitives) ?

2. À part le caractère linéaire des langues, quelles sont les autres phénomènes syntaxiques de base évidents ?

3. Montrez les difficultés qu'il y a de recourir aux jugements des autophones même s'ils sont linguistes.

4. Citez des énoncés bien formés du point de vue de
   - leur expression
   - leur contenu

5. Considérant les deux modèles à l'étude, effectuez la description d'un même court texte d'une langue qui vous est familière.

8

LA SYNTAXE BLOOMFIELDIENNE

1. Morphèmes et tagmèmes

a. Nous avons déjà vu que les phrases peuvent se ressembler partiellement ou se distinguer soit par l'ordre de leurs parties soit par le
choix de ces parties. Bloomfield fait remarquer qu'il est possible
de représenter les phénomènes de sélection au moyen d'unités, les
morphèmes, qui sont "les unités minimales de forme grammaticale".

Cependant, les phénomènes d'ordre n'ont jamais été formali-
sés. Il est impossible de les représenter au moyen de morphèmes,
puisqu'ils concernent précisément la façon dont les morphèmes sont
assemblés pour former des phrases. Par ailleurs, ces phénomènes doivent être formulés: beaucoup d'entre eux représentent en effet des
choix qui peuvent introduire des différences significatives entre
phrases.

b. C'est alors que Bloomfield procède par analogie avec le cas des morphèmes. Les morphèmes, qu'il a définis comme les unités minimales de la forme grammaticale, sont composés de phonèmes (qui sont eux-mêmes les unités distinctives minimales phoniques. Il cherche donc à isoler les unités distinctives minimales d'arrangement qu'il appel-le des taxèmes. Ces taxèmes se trouvent groupés en tagmèmes qui sont les unités minimales de l'ordre grammatical. La permutation d'un phonème ne suffit pas en soi à rendre une phrase différente (à moins que cette permutation corresponde à une permutation significa-tive d'un morphème); de la même façon, les différences entre deux phrases reposent sur la présence d'au moins un tagmème qui peut être composé de plusieurs taxèmes: par exemple, la différence entre *Paul voit Jean* et *Jean voit Paul* est un tagmème composé de deux taxèmes, lesquels correspondent respectivement à l'ordonnancement de *Paul* et de *Jean*. La permutation d'un seul taxème aurait produit par exemple *voit Jean Paul*, ce qui n'est pas français.

c. La description d'une phrase comporterait donc au départ l'identi-fication des morphèmes et des tagmèmes qui la composent. L'identifica-tion des morphèmes peut se faire par la méthode habituelle qui consis-te à comparer la phrase à analyser avec d'autres jusqu'à ce qu'on en trouve parmi ces dernières qui diffèrent de la première d'une façon minimale. Les différences minimales qu'on a ainsi isolées constituent les morphes. Les mêmes méthodes de base qui ont servi en phonologie serviront ici à établir les unités de base, c'est-à-dire les morphèmes qui sont représentés par des morphes (plusieurs morphes peuvent être les variantes d'un même morphème).

Les morphèmes peuvent être groupés en classes et en sous-classes selon leurs propriétés syntagmatiques, c'est-à-dire leurs possibilités de combinaison avec d'autres morphèmes. Ces considéra-tions syntagmatiques définissent souvent des classes qui correspon-

dent assez bien aux catégories connues des grammaires traditionnelles
(celles-ci, on l'a vu, avaient été établies partiellement à partir de
critères sémantiques). Cette correspondance qu'on observe est due en
partie à une connaissance intuitive des critères formels dans les
grammaires traditionnelles et aussi à une correspondance grossière
probable entre les catégories du contenu et les catégories de l'expression d'une langue. Il en résulte que plusieurs linguistes sen-
tent le besoin de considérer la possibilité d'un "sens" grammatical
qui correspondrait à l'appartenance d'un morphème à une classe morphémique particulière.

Si nous utilisons à nouveau le test de la commutation tout
en gardant l'aspect de sélection constant (c'est-à-dire en conservant
la même sélection de morphèmes), on devrait pouvoir isoler les différences minimales de l'ordre grammatical, c'est-à-dire isoler les tagmèmes. La description des tagmèmes se ferait alors en termes des propriétés minimales d'ordre qui les concernent.

Cette méthode d'analyse s'applique à toute phrase: on a
d'abord des morphèmes (des assemblages de phonèmes) et ensuite des
tagmèmes (des assemblages de taxèmes). Cet élégant parallélisme comporte un désavantage: il n'est pas possible de décrire une phrase
par une simple liste des morphèmes et des tagmèmes qu'elle renferme
parce que les tagmèmes s'appliquent à des morphèmes spécifiques parmi
ceux qui s'y trouvent. Il faut donc présenter chaque morphème avec
les taxèmes qui s'appliquent à lui ou analyser chaque tagmème avec
les morphèmes qui lui sont associés. Par exemple, la différence entre
is John coming? et *John is coming* (en mettant de côté les problèmes
de l'intonation est constituée d'un tagmème composé de deux taxèmes:
John doit être placé devant *come* et après *is*. Pour décrire cette
différence d'un tagmème, on doit faire référence à des morphèmes
spécifiques. Une des tâches de la syntaxe formelle a donc consisté

dans la séparation aussi nette que possible des variables impliquées: les unités d'ordre et les unités de sélection.

2. L'analyse en constituants immédiats

a. Les grammairiens traditionnels avaient établi une forme d'analyse syntaxique appelée analyse logique (en anglais <u>parsing</u>). Le nom même de cette analyse nous rappelle que les critères utilisés étaient fondés sur le sens de la phrase et de ses parties et surtout sur l'aspect logique de ce sens. Bloomfield, suivi de plusieurs descriptivistes, a utilisé le même type d'analyse, mais en substituant des critères formels aux critères logiques, pour créer l'analyse en constituants immédiats[1].

L'analyse en constituants immédiats a fait ressortir une propriété très importante du langage, savoir que les morphèmes présents dans une phrase forment des groupes dont la cohésion est inégale. Autant il est difficile de concevoir une façon non arbitraire de séparer les phonèmes de *café*, par exemple, en sous-groupes (/ka+fe/ ou /k+afe/), autant il est facile de constater que, dans *le petit chat avait dormi sur le tapis, chat* est "plus proche" de *petit* que de *avait*, ou que *le* est "plus proche" de *tapis* que de *sur*. Toute

---

1. Il existe un parallèle intéressant entre l'analyse morphologique et l'analyse syntaxique chez Bloomfield. Elles s'appuient toutes les deux sur l'"hypothèse fondamentale de la linguistique": "dans une communauté linguistique, certains énoncés se ressemblent partiellement dans leurs sons et dans leurs sens". D'où le test de la substitution qui s'applique aussi bien en morphologie qu'en syntaxe.

description de l'ordre grammatical devrait fournir une façon de
prendre ce fait en compte. Une analyse en constituants immédiats s'en
sert pour déceler dans la phrase des groupements qui sont ses <u>constituants</u>
<u>immédiats</u>. Chacun de ces groupes peut à son tour être soumis au même
type d'analyse qui isolera ses propres constituants immédiats et ainsi
de suite jusqu'à ce qu'on trouve les morphèmes individuels: ceux-ci
sont les constituants ultimes de la phrase. La structure d'ordre d'une
phrase apparaît ainsi comme une hiérarchie de sous-groupes de morphèmes plutôt qu'une simple liste de ces morphèmes dans leur ordre linéaire.

b. Le problème le plus important dans une analyse en constituants
immédiats est de déterminer les <u>coupes</u>, c'est-à-dire les points de
séparation entre les constituants immédiats d'une unité linguistique
(cette unité étant une phrase ou un groupe isolé dans une phrase).
Rappelons que cette analyse doit refléter les relations qu'on trouve
entre différentes phrases possibles de la langue. Il faut donc que
ces coupes soient établies à partir d'une comparaison entre phrases.
Voyons la phrase *le petit chat avait dormi sur le tapis*. La cohésion
de certains groupes dans cette phrase apparaît dans le fait que ces
groupes peuvent être remplacés par un seul morphème: par exemple,
petit chat peut être remplacé par *mendiant, sur le tapis* peut être
remplacé par *là*. Notre but sera donc de trouver les groupes les plus
larges qui se prêtent à cette opération. On découvre que *le petit chat*
peut être remplacé par *il* ou *Jean*, et que tout groupe plus large auquel
on puisse substituer un morphème et qui contienne *le petit chat* doit
contenir toute la phrase. *Le petit chat* est donc isolé comme constituant immédiat de la phrase. Le reste (*avait dormi sur le tapis*) est

habituellement considéré comme un autre constituant immédiat de la phrase[2].

Chacun des constituants ainsi isolés peut à son tour être analysé de la même manière. Par exemple *avait dormi sur le tapis* (qu'on appelle un groupe verbal puisqu'il peut être remplacé par un morphème de la classe <u>verbe</u>) se compare avec d'autres groupes verbaux et nous voyons que *sur le tapis* peut être remplacé par *là* ou *long-temps*. Nous isolons ainsi un groupe adverbial. L'analyse se poursuit ainsi jusqu'à isoler des morphèmes individuels.

Ainsi les groupes que nous avons reconnus de cette manière se trouvent dans une relation paradigmatique (par commutation) avec les morphèmes de la langue. Ils peuvent donc être répartis en catégories parallèles à celles qu'on a reconnues sur une base formelle pour les morphèmes de la langue.

c. On peut se demander ici si une analyse en constituants immédiats ainsi conçue (ICA, pour Immediate Constituent Analysis) correspond bien à la notion de Bloomfield qui faisait du tagmème l'unité minimale de l'ordre grammatical. Nous voyons que dans l'ICA, les relations d'ordre ne sont pas énoncées comme des relations entre les morphèmes comme tels mais entre groupes de morphèmes à un certain niveau de la hiérarchie syntaxique. On pourrait dire que les tagmèmes ont été

---

2. Il faut cependant signaler ici que ce second constituant ne peut être remplacé par un seul morphème: tout remplacement possible, par exemple *sautait*, doit inclure un morphème de temps. C'est pourquoi certains linguistes ont établi qu'une phrase constituée de cette manière comporte trois divisions dont le temps est le constituant central.

décomposés en taxèmes de statuts hiérarchiques différents[3]. Par exemple, dans *le petit chat avait dormi sur le tapis*, *tapis* ne se voit pas assigner une place directement par rapport à toute la phrase mais plutôt par rapport à un groupe, *le tapis* lequel groupe se voit assigner une place par rapport à un groupe plus large *sur le tapis*, etc. On retrouve ici les notions exprimées dans la tagmémique de Pike mais les critères sont maintenant uniquement formels plutôt que fonctionnels.

On peut pousser le parallélisme plus loin: Pike assignait à chaque emplacement fonctionnel une classe des unités qui pouvaient remplir cet emplacement. De même nous avons vu que la recherche des morphèmes conduisait à une classification de ces morphèmes (sur une base formelle) et que les groupements de morphèmes sont reliés aux morphèmes du fait qu'ils sont remplaçables par des morphèmes de classes spécifiques, ce qui permet une classification de ces groupements.

Il est donc possible de représenter la structure d'ordre des phrases indépendamment de leur structure sélectionnelle. Pour atteindre cet objectif, on considère que chaque morphème est un représentant d'une classe de morphèmes et que chaque groupement de morphèmes est un représentant d'une classe de groupes. Les relations

---

3. Les unités isolées dans l'ICA sont des taxèmes. Pour spécifier des tagmèmes, il nous faudrait pouvoir trouver comment grouper les taxèmes en "unités grammaticales". Ceci revient à considérer la structure en constituants immédiats comme le résultat de quelques choix fondamentaux d'ordre représentés par la suite par les divers taxèmes observables. Les relations entre ceux-ci et les tagmèmes impliquent alors des relations de redondance. Tout ceci est impossible dans l'ICA proprement dite. Nous verrons plus tard que c'est précisément ce qui est réalisé dans la théorie standard de la grammaire générative.

d'ordre s'établissent alors entre les classes qui sont les constituants d'une même classe du niveau immédiatement supérieur. De cette
façon, on en arrive à une généralisation: les phrases qui ne diffèrent que par des choix individuels de morphèmes se verront associées
dans une même structure d'ordre spécifiée en terme de classes. Les
différences entre ces phrases seront décrites comme des différences
dans la sélection des morphèmes. Par exemple, *trois transparentes
collines se sont passées depuis la cérémonie* aura la même structure
d'ordre que l'exemple vu précédemment.

3. La formalisation de l'ICA

a. L'analyse en constituants immédiats a été présentée d'une façon
systématique par plusieurs auteurs. Nous considérons ci-dessous deux
de ces présentations, qui mettent l'accent sur des aspects différents
de cette analyse.

Voyons d'abord celle de Hockett. Dans cette présentation,
l'accent est mis sur l'aspect "structure par blocs" propre à l'ICA du
moyen de "conventions de diagramme" spécifiques. Chaque constituant
est représenté par une boîte qui inclut autant de petites boîtes que
de constituants. La représentation phonémique (ou orthographique) de
chaque constituant se situe en haut de la boîte. Par exemple, l'analyse de *le petit chat avait dormi sur le tapis* se présente ainsi:

le	petit	chat	av|ait	dorm|i	sur	le	tapis
			avait	dormi		le	tapis
	petit chat		avait	dormi	sur le tapis		
le	petit	chat	avait	dormi	sur	le	tapis
le	petit	chat	avait	dormi	sur	le	tapis

Les coupes principales dans la phrase, selon la notation de Hockett, correspondent aux lignes de division les plus longues (entre les boîtes les plus grandes). Il est possible en principe, de représenter l'ordre d'une structure comme un arrangement de boîtes gigognes sans rien écrire dans ces boîtes. On pourrait donc ainsi voir simplement quels sont les constituants qui ont la même structure.

Parmi les différents types de structure d'ordre, on en trouve certains qui contiennent un morphème particulier utilisé non comme une unité de sélection mais seulement comme une marque de la structure d'ordre; par exemple *et* dans

le | *chat* | *et* | *le* | *chien.*

En conséquence, Hockett ne considère pas ces unités comme des constituants et ne leur assigne pas une boîte spécifique. Ces marques correspondent partiellement aux "mots grammaticaux" traditionnels, avec quelques exceptions cependant: par exemple, les unités *sur* ou *le* correspondent à des choix sélectionnels et doivent donc être traitées de la même façon que des unités lexicales comme *chien* ou *chat*.

b. Une autre façon de systématiser l'ICA est de mettre l'accent sur le principe d'analyse lui-même plutôt que sur la structure découlant de l'analyse. Z.S. Harris a fourni une telle systématisation, qui constitue une extension de la morphologie. En effet, en morphologie, on doit identifier les classes de substitution de morphèmes. Harris constate que si l'on applique cette procédure à des séquences de morphèmes, il n'est pas nécessaire d'introduire de nouvelles classes pour ces séquences: en d'autres mots, Harris ne voit pas, à partir de ce critère, le besoin de distinguer entre un nom ou un groupe nominal, par exemple.

Une séquence de morphèmes appartenant à une classe parti-

culière se décrit par la séquence des classes auxquelles les morphèmes appartiennent. Par exemple, *le petit chat* peut être représenté
par DAN (déterminant, adjectif, nom). Puisqu'on peut substituer à
le petit chat un seul nom, on peut indiquer cette propriété par une
formule: N = DAN (le signe = signifie ici une relation de substitution). Il est donc possible en principe de représenter toutes les
propriétés de substitution d'une langue au moyen de telles formules.
Harris ne voit pas la nécessité de distinguer entre morphèmes et séquences de morphèmes mais, par ailleurs, il introduit une autre distinction, qui est essentielle. Certaines des formules, par exemple
N = NA (chat bleu), représentent des substitutions qui sont possibles
dans n'importe quel contexte, y compris le résultat de cette substitution elle-même. Aussi, dans le cas de *chat bleu*, on peut considérer la séquence comme un N et lui suffixer un A, comme dans *chat bleu
malade*. Mais, dans d'autres cas, une telle construction n'est pas
possible. Par exemple, on a N = DN (*le chat*). On ne peut appliquer
à ce résultat ni la substitution N = DN (par exemple *un le chat)* ni
la substitution N = AN (par exemple *petit le chat*). Il faut donc
distinguer différents niveaux de N selon les substitutions que ces N
permettent. On écrira donc N^1 = NA, mais N^3 = DN^2.

En général, la description procède à partir des morphèmes
isolés: nous formons des équations qui symbolisent des substitutions
possibles. Tant qu'il n'y a pas de contraintes sur les substitutions
pouvant s'appliquer aux résultats découlant de ces équations, on gar-
de un même indice pour ces résultats. Mais dans les cas du type
X = PQ, où le résultat X n'est pas substituable à tout X déjà rencon-
tré, on augmente l'indice de ce X d'une unité. Ainsi tout $\underline{X}^1$ sera
substituable à tout $\underline{X}^2$, mais $\underline{X}^2$ ne sera substituable qu'à $\underline{X}^2$, $\underline{X}^3$, etc.

On voit donc que la hiérarchie entre des types de groupes
possibles vient d'être réintroduite, mais dans le cadre des classes

de morphèmes fondamentales qui sont ainsi présentées comme la base
essentielle de la syntaxe.

4. <u>Les problèmes de sélection</u>

a. Les formules structurales fondées sur les classes de morphèmes ou
les classes de séquences de morphèmes présentent des avantages consi-
dérables parce qu'elles fournissent une description compacte des structures d'ordre d'une langue.

Par contre, ces formules ne permettent pas de considérer les
propriétés particulières de chaque morphème. On n'attacherait pas
d'importance à ce phénomène si la sélection de chaque morphème pouvait
être considérée d'une façon indépendante, mais l'expérience commune
nous montre qu'il n'en est pas ainsi. Considérons les deux exemples que
nous avons cités; ils ont la même structure d'ordre: *le petit chat
avait dormi sur le tapis* et *trois transparentes collines se sont passées depuis la cérémonie*. Ces deux phrases n'ont pas le même statut:
la première est bien formée à tous égards tandis que la seconde est
difficilement acceptable.

Il est facile de dire que le second exemple n'a pas de sens.
Mais notre tâche consiste précisément à spécifier ce qui dans la forme
de l'expression est en corrélation avec la présence ou l'absence de
signification. En d'autres termes, on voit bien que les propriétés
de la signification se laissent apercevoir dans la forme de l'expression; mais il serait simpliste de reléguer la description de ces manifestations à la "sémantique". On doit plutôt décrire soigneusement
ces propriétés en termes formels. De cette manière nous serions en
mesure d'étudier avec précision les relations entre ces propriétés

et la signification dans le cas où nous pourrions obtenir une description du sens lui-même.

Une telle analyse appliquée au second exemple nous fait
voir rapidement ce qui ne va pas. L'adjectif *transparent* ne forme
pas une collocation heureuse avec *colline*; il en est de même pour
colline et *se passer*[4]. Les conditions de co-occurrence que certaines unités imposent aux autres seront appelées <u>contraintes de sélec-
tion</u>: ces contraintes font partie des propriétés syntagmatiques des
morphèmes. L'ensemble des contraintes de sélection associé à une forme de phrase particulière sera appelé la structure de sélection de
cette forme de phrase.

b. Pour une spécification la plus exacte possible des phrases d'une
langue, on doit donc trouver un moyen de marquer les contraintes imposées à la sélection des morphèmes. L'établissement de sous-classes
semble être le moyen le plus simple d'y arriver; de cette manière, on
réussit à délimiter plus exactement le choix de chaque morphème d'une
phrase. Par exemple, on peut exclure la séquence de morphèmes *la liberté bleue* en spécifiant que dans la formule qui correspond à cette
séquence $\underline{N^2 = N^2A}$, le A doit être choisi dans une sous-classe $\underline{A}_x$ si
le N est choisi dans une sous-classe $\underline{N}_y$. Mais cette façon de procéder provoque deux types de difficultés.

---

4. Il faut noter que, du point de vue de la signification, les difficultés présentées par *transparentes collines* ne sont pas les mêmes
que celles associées à *collines se sont passées*. *Transparentes
collines* "surprend", parce que nous ne connaissons pas d'objet
qui soit à la fois transparent et une colline. Par contre, les
collines se sont passées ne peut même pas recevoir d'interprétation:
la <u>notion</u> de *se passer* ne s'applique pas à des objets concrets
comme *collines*.

1⁰ Les contraintes de sélection, comme on le voit dans le groupe nominal ci-dessus, sont relatives, c'est-à-dire que le choix d'une sous-classe appropriée de A dépend du choix d'une sous-classe de N ou vice versa. Pour représenter les contraintes de sélection, on devrait donc écrire autant d'équations du type $N = NA$ qu'il y a de paires acceptables de sous-classes (l'une de A, l'autre de N). On en arrive de cette façon à une expansion énorme de la grammaire; une telle grammaire devient fortement redondante puisque l'information concernant les structures d'ordre reste la même dans beaucoup d'équations.

2⁰ Le second type de difficultés est encore plus fondamental. Les grandes classes représentent une catégorisation de base et les formules qui s'appliquent à ces classes correspondent à des règles de la langue qui peuvent difficilement être transgressées: par exemple $N = DN$ impose que *le* précède *chat*: *chat le* est tout simplement mal formé. Par contre, les contraintes de sélection peuvent, elles, être transgressées facilement pour produire par exemple un effet d'ordre stylistique: *la liberté bleue du ciel*. On voit donc qu'il n'est pas approprié de traiter de la même manière ces deux types de phénomènes. Ceci montre encore la nécessité de séparer autant que possible le traitement des phénomènes de sélection de celui des phénomènes d'ordre.

Textes de référence

Bloomfield (1933), chapitre 10
Harris (1946)
Harris (1951), chapitres 16 et 17
Hockett (1958)
Pottier (1964)

SUJETS DE REFLEXION

1. Comment s'effectuent les coupes, c'est-à-dire les séparations entre groupements syntagmatiques d'unités dans les théories syntaxiques vues jusqu'ici ?

2. Dans la mesure où la valeur des morphèmes est déterminée en fonction des énoncés dont ils font partie, quel statut peut-on accorder à la morphologie dans un cadre de description grammaticale.

3. Énumérez une vingtaine de faits (tirés du texte ou non) qui rendent difficiles l'établissement des contraintes de sélection.

4. a) Trouvez des exemples de constructions dont certains constituants immédiats sont discontinus.

    b) Pouvez-vous définir "constituant discontinu" en termes de syntagme et de paradigme ?

    c) Quelles conséquences l'existence de constituants discontinus a-t-elle en ce qui concerne la description des structures d'ordre et des structures de sélection ?

5. Consultez Pottier (1964); commentez et spécifiez les relations entre ce type de description du français et la syntaxe bloomfieldienne.

9

L'ANALYSE EN CHAINE

1. Phrases élémentaires et expansion

a. L'analyse en constituants immédiats découle de l'observation que
l'on peut substituer à certains groupements de morphèmes d'une phrase
un morphème unique. Mais on peut découvrir également une propriété
très intéressante des phrases en examinant quels sont les groupements
de morphèmes qui <u>commutent avec zéro</u>. Parmi les phrases d'une langue,
on en trouvera qui diffèrent deux à deux en ce que l'une d'elles comporte un groupement de morphèmes successifs qui n'est pas présent dans
l'autre. Si nous reprenons l'exemple du chapitre précédent *le petit
chat avait dormi sur le tapis,* on peut associer à cette phrase soit
le chat avait dormi sur le tapis, soit *le petit chat avait dormi,* ce
qui montre que *petit* et *sur le tapis* sont des groupements de morphèmes
qui peuvent commuter avec zéro. Si nous enlevons ces deux groupements
de morphèmes, on obtient *le chat avait dormi* et à ce moment, tous les

groupements qui commutent avec zéro ont été retirés: ceci apparaît
au fait que si l'on enlève quoi que ce soit de *le chat avait dormi*,
le résultat n'est plus une phrase.

On peut donc de cette façon, imaginer une autre sorte d'a-
nalyse syntaxique dont le principal critère consisterait dans la commutation avec zéro. Dans cette analyse, on dépiste dans une phrase
des séquences de morphèmes contigus (des chaînes) qui sont accessoires, c'est-à-dire que le fait de les retirer de la phrase produit un
résultat qui est encore une phrase. De cette manière, il est possible de réduire cette phrase à une autre qui ne comporte pas ces parties facultatives et qu'on appellera phrases élémentaires. Ces opérations successives ont pour but de représenter toutes les phrases
d'une langue comme étant formées à partir d'une phrase élémentaire
(la chaîne centrale) par l'insertion de types spécifiques de chaînes
(les adjonctions) en des points spécifiques de la chaîne centrale.

b. D'après le paragraphe précédent, il est évident que les phrases
élémentaires sont tout simplement celles qui résistent à une décomposition plus poussée. Il faut maintenant se demander si les chaînes
qui sont adjointes à ces phrases élémentaires sont elles-mêmes toutes
élémentaires dans ce sens. Très rapidement, on en arrive à une réponse négative: par exemple, dans *l'homme qui avait donné un coup
de pied au petit chat s'est sauvé*, l'adjonction *qui avait donné un
coup de pied au petit chat* contient lui-même au moins l'adjonction *petit*.
Il est donc possible de réduire les chaînes adjointes aussi: on obtient des adjonctions élémentaires et des adjonctions d'adjonctions;
et ainsi de suite.

Quand ces réductions sont terminées (c'est-à-dire quand il
n'y a plus aucune chaîne qui se prête à une analyse plus poussée), il
est possible alors de déterminer une classification des unités élé-

mentaires ainsi obtenues (c'est-à-dire des chaînes qui restent). Les
deux premières classes ainsi constituées contiennent, l'une, les
phrases élémentaires, et l'autre, les adjonctions élémentaires. Les
phrases élémentaires seront de plus classées selon leur formule structurale, c'est-à-dire les séquences de classes de morphèmes qui correspondent aux morphèmes successifs qu'elles contiennent: par exemple
le chat dort sera classé DNtV.

De leur côté, les adjonctions élémentaires seront d'abord
sés selon l'endroit où ils peuvent s'insérer dans une autre chaîne
(soit une phrase élémentaire, soit une adjonction élémentaire). Voyons
ce point d'un peu plus près. Une première division nous amène à distinguer d'une part les adjonctions qui doivent être insérées au voi-
sinage d'une classe de morphèmes particulière de la chaîne (cette
classe de morphèmes est appelée l'hôte), d'autre part, celles qui
s'ajoutent à la chaîne prise comme un tout. Par exemple, dans *Quand
Paul est arrivé, Marie était déjà partie*, *déjà* doit être contigu à
était, mais *Quand Paul est arrivé* ne requiert pas une position spécifique dans cette phrase: les adjonctions de ce second type, qui
peuvent se placer à gauche ou à droite d'une phrase, s'appellent des
adjonctions de phrase.

Par contre, les adjonctions à un hôte d'une classe de morphèmes particulières sont subdivisées à leur tour entre des adjonctions à gauche et des adjonctions à droite; par exemple *petit* est
adjoint à gauche de *chat* et *qui avait donné un coup de pied au petit
chat* est adjoint à droite de *homme*.

Finalement, les adjonctions de chacune de ces classes sont
réparties selon leurs formules structurales.

2. Structures d'ordre dans l'analyse en chaîne

a. On conçoit que deux facteurs principaux interviennent pour déterminer l'ordre des morphèmes dans une phrase. Le premier facteur
consiste dans la relation d'une phrase avec sa chaîne centrale (ou
phrase élémentaire) qui constitue en quelque sorte l'épine dorsale de
l'organisation d'une phrase. Chaque langue comporte habituellement
un nombre restreint de types de phrases élémentaires et, en général,
un de ces types souvent appelé "ordre préférentiel") prédomine. Ces
propriétés des phrases élémentaires peuvent être utilisées pour déterminer une typologie des langues[1].

On peut également considérer ici la structure d'ordre des
adjonctions élémentaires qui comportent plus d'un morphème. Les formules structurales de ces chaînes spécifient certaines relations d'ordre qui sont semblables à celles des chaînes centrales en ce qu'elles
contribuent en bloc à la structure d'ordre de la phrase. De plus, on
note que les structures d'ordre des adjonctions ressemblent parfois
à celles des chaînes centrales, et n'en diffèrent que par des détails
spécifiques comme la permutation ou l'addition de classes de morphèmes. Par exemple, la structure d'ordre de *qui avait donné un coup
de pied* ressemble à celle de *Jean avait donné un coup de pied* et celle
de *quand Paul est arrivé* à celle de *Paul est arrivé*.

b. Le second facteur dans la détermination des structures d'ordre
des phrases se rapporte à la position des adjonctions[2]. Naturellement,

---

1. Par exemple, le titre d'un article de J. McCawley est très sugges-
   tif: English as a VSO language.
2. Cette position est très restreinte dans le cas des adjonctions
   de mots mais l'est moins dans le cas des adjonctions de phrases.

ce facteur n'intervient pas dans le cas des phrases élémentaires;
combiné à celui que nous avons mentionné au paragraphe précédent
(structure des adjonctions élémentaires), il devient rapidement la
principale source de complexités dans les structures d'ordre d'une
langue.

On voit donc que l'analyse en chaîne fournit une classification de facteurs d'ordre selon l'importance de ces facteurs dans la
langue. Le point fondamental est l'insertion d'adjonctions: c'est là
un facteur récursif de complexités dans les détails qui affecte des
sous-classes de phrases de plus en plus restreintes.

Ainsi donc, l'accent est mis une fois de plus sur la nature
hiérarchique des structures d'ordre, quoique d'une manière différente
de celle qui apparaissait dans l'analyse en constituants immédiats.
Les correspondances entre ces deux types d'analyse seront étudiées ultérieurement (voir p. 119).

3. <u>Structures de sélection dans l'analyse en chaîne</u>

a. Pour aborder l'examen des relations de sélection, on peut diviser
le problème en deux selon le schéma suggéré par la forme même de
l'analyse en chaîne. Nous allons d'abord considérer les contraintes de sélection dans les chaînes élémentaires: celles-ci sont réduites à une expression très simple, ce qui simplifie les problèmes
de combinatoire. Dans ces chaînes élémentaires, il s'avère qu'il y
a un morphème (ou une classe de morphèmes après généralisation dans
le traitement) qui concourt à l'établissement de toutes les contraintes de sélection. Par exemple, dans la formule structurale <u>DNtVDN</u>,
il y a des contraintes de sélection entre chaque N et le V mais
il n'y en a aucune entre les deux N. Il peut être nécessaire d'ex-

clure certains N à cause du choix d'un V particulier, comme dans
l'homme avait donné un coup de pied à la liberté de parole ou *les
institutions démocratiques avaient donné un coup de pied au petit
chat.* Mais tous les choix de N acceptables pour un V donné sont com-
binables: la phrase *le petit garçon avait donné un coup de pied au
satellite* a peu de chances d'être appropriée, mais n'en reste pas moins
bien formée.

Il est donc possible de représenter ces contraintes de sélection comme des propriétés rattachées aux morphèmes d'une classe
particulière plutôt que de les présenter comme des relations entre des
sous-classes de morphèmes; ainsi on simplifierait la présentation et
on réduirait la redondance dans une grammaire.

b. Cependant, il faut également considérer d'autres relations de sélection: celles qui conditionnent les insertions d'un morphème particulier comme adjonction à un hôte particulier. La formulation de ce problème dans le cadre de l'analyse en chaîne le fait apparaître comme
asymétrique et nous conduit à concevoir les contraintes comme des
propriétés du morphème-hôte. Quand l'adjonction consiste en un seul
morphème, la spécification des contraintes sera simple. On peut s'attendre à des difficultés quand l'adjonction est composée de plusieurs
morphèmes; mais, dans ce cas, les observations formulées plus haut
en 3 a. s'appliquent: la structure de sélection d'une adjonction met
en relief un morphème particulier comme élément central de cette
adjonction. Ainsi, on devra formuler les contraintes sélectionnelles
imposées à l'insertion d'une adjonction en termes de cet élément particulier: dans *Le petit homme qui avait donné un coup de pied au chat
s'est sauvé par la porte,* on devra formuler les contraintes sélectionnelles entre *homme* et *petit* et entre *homme* et *donner un coup de pied,*

comme des propriétés du mot *homme* qui conditionnent l'insertion des adjonctions *petit* et *qui avait donné un coup de pied au chat.*

4. Relations entre la structure de constituants immédiats et la structure de chaîne

a. Nous avons déjà noté que ces deux types d'analyse amènent à établir une hiérarchie de relations d'ordre pour chaque phrase d'une langue. On doit maintenant considérer le problème de la correspondance entre les relations d'ordre indiquées par ces deux types d'analyse.

On remarquera d'abord que l'analyse en chaîne consiste à concevoir chaque phrase comme composée d'une phrase élémentaire et d'éléments accessoires (possibles), tandis que l'analyse en constituants immédiats présente chaque phrase comme composée de constituants immédiats qui ne sont pas eux-mêmes des phrases.

Certaines des unités isolées par l'analyse en constituants immédiats sont découpées en des constituants dont l'un est de la même nature que l'unité de départ: par exemple, la formule N = AN contient N de chaque côté de l'équation. On distingue ainsi entre des constituants endocentriques (par exemple, *petit chat* qui conserve les mêmes propriétés syntaxiques que l'un de ses constituants particuliers *chat,* que l'on appellera la tête) et les constituants exocentriques (par exemple, *le chat avait couru,* dont les propriétés sont différentes à la fois de celles de *le chat* et de *avait couru*); il apparaît que l'analyse en chaîne met l'accent sur les aspects endocentriques de la structure des phrases.

Pour raffiner cette caractérisation, il faut considérer maintenant le rôle des adjonctions. Les adjonctions de mots sont insérées juste à côté d'un élément de la chaîne, sans que les propriétés de cette chaîne ou de l'hôte spécifique en soient affectées. À toutes fins pratiques, on peut considérer que l'hôte et ses adjonctions sont équivalents à l'hôte tout seul. Il ressort de cette remarque que le groupe constitué de l'hôte et de ses adjonctions doit apparaître comme un constituant quelque part dans l'analyse de la phrase, puisqu'il peut commuter avec le morphème-hôte; ce constituant est endocentrique parce que ses propriétés sont les mêmes que celles d'une de ses parties. De la même manière, un groupe constitué d'une phrase et des adjonctions de cette phrase est équivalent syntaxiquement à la phrase elle-même et forme encore un constituant endocentrique.

On peut donc dire que l'insertion des adjonctions va correspondre à des structures de constituants endocentriques dans une analyse en constituants immédiats.

b. Il faut se demander si tous les constituants endocentriques peuvent résulter de l'insertion d'une adjonction. Il apparaîtra tout de suite que la réponse est non si l'on considère le cas particulier des groupes verbaux dont les constituants sont un verbe et un ou plusieurs groupes nominaux. Si ces groupes nominaux commutaient avec zéro, on pourrait les considérer comme des adjonctions; mais ce n'est généralement pas le cas. De plus, on peut dire qu'un groupe verbal, par exemple *avait pincé le chat*, ne partage pas toutes les propriétés d'un verbe; en particulier, on ne peut pas substituer ce groupe à n'importe quel verbe mais seulement à un type particulier de verbes dits "intransitifs". On peut donc considérer qu'un groupe verbal serait mieux classé comme exocentrique (et, de cette manière, on demeurerait cohérent en établissant une classe différente pour les verbes intransitifs). Les constituants exocentriques n'ont pas de tête: on veut dire par là qu'il est impossible de remplacer certaines parties de ces constituants par zéro pour dégager une partie qui serait

équivalente syntaxiquement à tout le constituant. Il s'ensuit que
dans une analyse en chaîne , un constituant exocentrique formera tout
ou partie d'une chaîne élémentaire, c'est-à-dire ce qui reste après
que toutes les substitutions par zéro ont été effectuées.

c. Dégageons maintenant la façon dont les deux présentations des
structures de phrases sont reliées. Les relations principales dans
une phrase se révèlent entre des éléments qui ne sont pas nécessairement contigus à cause du fait que certains éléments dépendent d'éléments plus importants. Une analyse en chaîne met en relief cette
"contiguïté de niveau supérieur" en éliminant tous les éléments accessoires (et à l'inverse, en fournissant un mécanisme d'insertion des
adjonctions pour la synthèse). Au contraire, une analyse en constituants immédiats révèle la contiguïté de niveau supérieur par les relations qui unissent les constituants endocentriques, qui jouent le
même rôle que leur tête. Quant aux phénomènes de contiguïté de niveaux inférieurs, ils sont révélés dans une analyse en constituants
immédiats par le fait que la plupart des constituants sont continus
alors qu'ils sont révélés dans une analyse en chaîne par le fait de
la contiguïté d'une adjonction et de son hôte.

5. <u>Relations entre l'analyse en chaîne et la syntaxe fonctionnelle</u>

a. Nous avions noté au quatrième chapitre que, dans la théorie syn--
taxique de Martinet, les définitions des unités syntaxiques étaient
fonctionnelles (c'est-à-dire qu'elles faisaient référence à la structure du contenu) mais que les critères pour l'identification de ces
unités étaient, quant à eux, formels pour la plupart. On devrait
donc s'attendre à certaines correspondances entre les résultats ob-
tenus à la suite d'une analyse fonctionnelle (section 4.5.) et ceux que
l'on obtiendrait avec une approche formelle. L'analyse en chaîne permet
à ce sujet une intéressante comparaison.

Dans la syntaxe de Martinet, l'analyse débute par l'identification des syntagmes autonomes et des syntagmes dépendants. Ces derniers doivent être spécifiés par rapport au coeur même de la phrase, c'est-à-dire le syntagme prédicatif ou syntagme indépendant. On remarque alors que le syntagme prédicatif, n'est en somme que ce qui reste après que les syntagmes accessoires ont été éliminés de la phrase. La structure de ce syntagme, comme Martinet le fait remarquer d'ailleurs, peut différer d'une langue à l'autre; cette structure est à la base de sa typologie des langues. Toutes ces remarques conviennent exactement à la chaîne centrale isolée dans une phrase par l'analyse en chaîne : les différences dans la formulation découlent directement des différents points de vue adoptés. Alors que l'analyse en chaîne ne vise qu'à la caractérisation de la structure de l'expression, Martinet, de son côté, fournit une analyse qui vise à dériver les propriétés formelles de l'expression à partir de la considération des nécessités fonctionnelles. C'est de cette manière que chaque régularité formelle est associée avec un trait de l'organisation du contenu par une interprétation fonctionnelle. La chaîne centrale (le syntagme prédicatif) est considérée de cette façon comme le corrélat de l'aspect principal de l'expérience à communiquer. Cette façon de concevoir provoque des difficultés quand des structures semblables à celle du syntagme prédicatif se retrouvent dans un syntagme dépendant: Martinet doit alors distinguer entre le prédicat (qui est seul de son espèce dans la phrase) et les prédicatoïdes, qui sont les unités centrales des syntagmes dépendants. Une analyse en chaîne note simplement la similarité (qui n'est pas une identité) des structures et ne fournit aucune explication supplémentaire. Il est évident que ce phénomène doit être expliqué mais cela déborde le cadre de la syntaxe formelle.

b. Les syntagmes autonomes se reconnaissent par le fait formel qu'ils peuvent être déplacés à l'intérieur d'une phrase sans que l'identité linguistique de cette phrase en soit affectée. Par exemple, en première approximation, deux phrases ne s'opposent pas si elles ne diffèrent que par la position d'un syntagme autonome. En partant de la description formelle des syntagmes autonomes, on voit qu'ils correspondent aux adjonctions de phrase dans une analyse en chaîne. À cet égard encore, l'interprétation fonctionnelle de Martinet (à l'effet que ces syntagmes portent en eux-mêmes l'indication de leur relation au reste de la phrase) ne se retrouve pas dans une analyse en chaîne.

Un syntagme dépendant, d'un point de vue fonctionnel, est un syntagme qui ne contient pas en lui-même la marque de sa relation au reste de l'énoncé. Cette relation doit être marquée soit par un monème spécial soit par la position spécifique qu'il prend. Formellement, un tel syntagme se reconnaît par sa position, fixée par rapport à un élément particulier de la phrase duquel on dit qu'il dépend. Cette description correspond bien aux adjonctions de mots, sauf en ce qui concerne les monèmes fonctionnels. Martinet n'explique pas très clairement si l'on doit considérer un syntagme comme dépendant du monème fonctionnel qui le lie au reste de la phrase. S'il en était ainsi, on se trouverait alors en présence d'une grande différence entre la notion de dépendance de syntagme et celle des adjonctions de mots. Par exemple, dans *Le petit chat avait dormi sur le tapis*, il faudrait considérer *le tapis* comme fonctionnellement dépendant de *sur*, tandis que formellement, il ne peut être décrit comme une adjonction à *sur*. C'est plutôt *sur le tapis* en bloc qui doit être considéré comme une adjonction - de phrase ou de mot: ceci reste à décider.

c. Comme nous l'avons vu, les chaînes élémentaires qui comportent plusieurs morphèmes sont à l'origine des structures décrites dans

une analyse en constituants immédiats par des constituants exocentriques. La syntaxe de Martinet distingue deux types parmi ces syntagmes, sur des bases fonctionnelles: ce sont les syntagmes autonomes et les syntagmes indépendants. Cependant, on peut concevoir que
cette même distinction puisse se faire sur des bases purement formelles, comme dans une analyse en chaîne , entre les chaînes centrales
et les chaînes adjointes. Cette distinction repose sur les relations
qu'entretiennent les phrases ou, d'une façon équivalente, sur le principe de la commutation avec zéro.

Inversement, Martinet distingue sur des bases formelles,
les syntagmes qui contiennent un monème fonctionnel (par exemple,
sur le tapis) et ceux qui n'en contiennent pas (par exemple, *l'année
dernière*). Dans les deux cas cependant on se trouve en présence de
constituants exocentriques parce qu'aucun d'entre eux ne peut être
réduit à l'une de ses parties. Si l'on observe que le premier type
de constituants exocentriques est de loin le plus fréquent, on voudra
peut-être condenser la description en disant que le second type de
constituants contient un élément zéro dans la position où le premier
contient le morphème *sur*. De cette façon, on pourrait simplifier les
énoncés correspondants et, dans le cas de la syntaxe de Martinet,
leur donner une forme plus correcte: en effet, sans cette reformulation, il est faux de dire que *l'année dernière* contient la marque
de sa fonction puisque ce syntagme peut être utilisé dans d'autres
contextes, par exemple, *l'année dernière a été la pire de ma vie*.

d. C'est Pike qui offre la distinction fonctionnelle qu'il nous
faut: les hypertagmèmes obligatoirement complexes correspondent
aux emplacements qui doivent être occupés par des unités complexes,
c'est-à-dire des unités composés de plusieurs emplacements. On
pourrait donc dire que ce que Martinet désigne comme étant des syntagmes autonomes ou indépendants et ce qui est décrit formellement

comme des chaînes dont le centre est composé de plusieurs morphèmes, sont les manifestations d'hypertagmèmes obligatoirement complexes. Il peut se produire cependant, que l'un des emplacements d'une unité complexe soit occupé par un morphème zéro, comme dans *∅ l'année dernière, j'ai été admis à l'université* ou *j'ai été admis à l'université ∅ l'année dernière*. De cette manière, on pourrait lever l'ambiguïté dans la phrase *j'ai planifié l'année dernière;* dans une première interprétation on trouve *∅ l'année dernière* qui apparaît, selon les théories étudiées, comme un syntagme autonome ou une adjonction de phrase ou un hypertagmème complexe ou un constituant exocentrique: dans une autre interprétation, il n'y a pas d'élément *∅* et *l'année dernière* est décrit comme un constituant endocentrique ou un syntagme dépendant ou deux tagmèmes simples ou comme une partie de la chaîne centrale accompagnée d'une adjonction à droite[3].

e. On doit enfin noter que les relations de sélection mises en évidence par l'analyse en chaîne correspondent à la notion intuitive de la connexion syntaxique proposée par Tesnière.

D'une façon plus spécifique, on peut, dans la plupart des cas, mettre en correspondance la chaîne centrale de la phrase avec ce que Tesnière appelle le noeud verbal, c'est-à-dire l'élément central de la phrase et ses dépendants immédiats. Précisons: le verbe et ses actants forment la chaîne centrale de la phrase, alors que les circonstants correspondent à des adjonctions de phrase. Chacun des noeuds inférieurs s'analyse en un élément principal (correspondant

---

3. Dans la grammaire traditionnelle, on aurait distingué les deux sens de cette phrase ambiguë en disant que *l'année dernière* peut être soit complément circonstanciel de temps soit objet direct.

à l'hôte) et ses dépendants (correspondants à la partie d'une adjonction qui est directement soumise aux contraintes de sélection imposées par l'hôte). Si l'on excepte la notion de translation, la syntaxe de Tesnière peut donc être comprise comme une caractérisation de la structure de sélection des phrases. Une étude complète de la notion de translation du point de vue de la syntaxe formelle reste à faire. On peut noter ici que la plupart des marqueurs de translation (les translatifs) correspondent aux monèmes fonctionnels de Martinet et que Tesnière avait senti la nécessité de discerner l'existence de translations effectuées sans marques apparentes (c'est-à-dire, dans ses propres termes, avec des marqueurs θ). Si l'on examine les différents types de translation, , on constate que Tesnière est le seul à suggérer une analyse unique pour des phénomènes qu'aucune autre analyse ne peut grouper: par exemple, une analyse en chaîne ou une analyse fonctionnelle n'établissent pas de relation syntaxique profonde entre les deux phrases *je sais que Paul est arrivé* et *quand Paul est arrivé, Marie est partie.*

Textes de référence

Harris (1951), chapitre 19
Harris (1962)
Sager (1967), p. 153-186
Salkoff (1971), p. 19-30
Salkoff (1973)

SUJETS DE RÉFLEXION

1. Imaginez une représentation graphique pour l'analyse en chaîne. Quels types d'unités faut-il distinguer ? Comment représenter les relations entre des unités ?

2. Mettez en relation l'analyse en chaîne avec la classification des monèmes chez Martinet; en particulier, quelles sont les classes dont les monèmes peuvent apparaître comme morphèmes-hôte dans l'analyse en chaîne ?

3. Les phrases élémentaires se déterminent par le fait qu'elles résistent à une décomposition plus poussée; Martinet appelle syntagme prédicatif le syntagme essentiel de la phrase, qu'on ne peut élider sans détruire cette phrase. Faites ressortir, s'il y a lieu, les différences qui subsistent entre ces deux notions.

4. Quels sont les cas d'ambiguïté que ne peut résoudre, de toutes façons, une analyse en chaîne ?

5. Examen de l'analyse du français présentée dans Salkoff (1973).

10

AUTOMATES ET SYNTAXE

1. Notion d'automate

a. Les mathématiques modernes font souvent appel à la notion d'ensemble qui est la formalisation de la notion intuitive d'une collection d'objets appelés ses éléments. Ainsi, il arrive fréquemment aux mathématiciens d'avoir à spécifier un ensemble particulier; en ce qui concerne l'ensemble lui-même, tous ses éléments sont interchangeables: quand on a pu établir exactement quels sont les éléments d'un ensemble, l'ensemble lui-même est entièrement spécifié. Il y a deux façons principales d'accomplir cette tâche. La première est d'énoncer une propriété qui appartient à chaque élément de l'ensemble et n'appartient à aucun autre objet. Aussi, pour tout objet considéré, nous serions en mesure de déterminer si cet objet appartient à l'ensemble simplement en examinant si cet objet possède la propriété en question, que l'on appelle propriété caractéristique de l'ensemble. L'autre façon de spécifier un ensemble consiste à fournir une liste de tous ses éléments, ce qui est en fait une façon triviale d'énoncer une proprié-té caractéristique, savoir l'appartenance à cette liste.

Les listes sont très commodes quand on se trouve en présen-ce d'ensembles qui ne contiennent qu'un petit nombre d'éléments, par exemple $\{0, 1, 2, 3\}$ ou $\{chaise, table, pupitre\}$. Cependant beau-coup d'ensembles intéressants ont un grand nombre sinon une infinité d'éléments. Il est alors impossible d'établir une liste exhaustive et il ne reste que la possibilité de spécifier cet ensemble par une propriété caractéristique.

Les mathématiques appliquées et l'informatique s'intéres-sent surtout aux ensembles qui ont une propriété caractéristique cal-culable, c'est-à-dire que (théoriquement du moins) il doit exister un outil quelconque qui peut montrer d'une façon systématique si un objet donné possède la propriété caractéristique donnée. Un tel ou-til est appelé un <u>automate</u> et la branche des mathématiques appliquées qui en traite s'appelle la théorie des automates. Un automate peut apparamment servir à d'autres calculs que celui de la propriété ca-ractéristique d'un ensemble. Mais c'est parce que de tels calculs peuvent toujours se réduire au calcul d'un ensemble.

b. Il y a un type de calcul qui revêt une importance particulière: le calcul d'ensembles de chaînes de symboles. Il en est ainsi parce que la manipulation de symboles est au coeur même des recherches ma-thématiques, par exemple, dans la preuve de théorèmes ou dans toute recherche s'appuyant sur la logique symbolique.

Dans le but de déterminer si une chaîne de symboles parti-culière appartient à un ensemble de chaînes, on peut concevoir un au-tomate de deux façons différentes. Premièrement, on peut spécifier certaines manipulations de la chaîne qui donneront un résultat particulier quand l'application sera faite à certaines sortes de chaînes (il s'agit bien sûr des chaînes qui appartiennent à l'ensemble); ces manipulations pourront ne fournir aucun résultat ou fournir un résultat différent quand elles s'appliqueront à d'autres sortes de chaînes. En d'autres mots, un automate défini de cette façon manipule une chaîne et répond finalement "oui" si cette chaîne a la propriété caractéristique.

Deuxièmement, on peut s'arranger pour que l'automate écrive l'une après l'autre toutes les chaînes qui ont la propriété caractéristique. Il est alors suffisant de comparer la chaîne proposée au départ à chaque chaîne produite à la sortie. Si la chaîne de départ est identique à une des chaînes de la sortie, nous savons alors qu'elle appartient à l'ensemble. Notons ici que cette seconde façon revient à établir une liste des éléments de cet ensemble, à ceci près que l'automate ne s'arrêtera jamais d'écrire si l'ensemble possède un nombre infini d'éléments.

Etant donnés leurs modes d'opération, les automates de la première espèce sont appelés automates de reconnaissance et les autres automates de production. Il est possible dans certaines conditions, de démontrer que certains automates sont équivalents, c'est-à-dire qu'ils spécifient le même ensemble. Par exemple, si nous voulons spécifier l'ensemble M de toutes les chaînes composées d'une succession de n a suivi d'une succession de n b, nous pouvons utiliser l'un des deux automates suivants (d'autres sont possibles).

L'automate A parcourt la chaîne d'entrée de gauche à droite jusqu'à ce qu'il trouve une occurrence de b. S'il en trouve une précédée d'une occurrence de a, il efface ces deux occurrences et recommence. Dans tous les autres cas, il écrit le reste de la chaîne d'entrée et s'arrête[1].

---

1. Les "bonnes" chaînes sont caractérisées par le fait que l'automate A n'écrit rien avant de s'arrêter.

L'automate B répète indéfiniment la procédure suivante:
il copie sa production précédente, écrit un <u>a</u> à gauche de cette sortie et un <u>b</u> à droite de cette sortie. Le résultat consiste dans une
liste croissante de chaînes qui appartiennent toutes à l'ensemble $\underline{M}^2$.

2. Automates et langues

a. Nous avons déjà vu que l'une des façons de caractériser une
langue était de la considérer comme un ensemble de phrases, par opposition à toutes les autres combinaisons de morphèmes de cette langue,
qui ne sont pas des phrases[3]. À l'inverse, si nous pouvons spécifier la bonne forme des phrases d'une langue, on peut examiner chaque
combinaison des morphèmes d'une langue pour déterminer si cette combinaison est bien formée (et donc appartient à l'ensemble) ou non.
Cette façon de formuler les objectifs de l'écriture d'une grammaire
suggère une forte analogie avec ce que nous avons formulé dans la
section 10.1. Si nous considérons la bonne forme (de quelque manière qu'on la spécifie) comme une propriété caractéristique, une langue
sera donc un ensemble défini par cette propriété caractéristique.
D'où l'idée d'écrire une grammaire sous la forme d'un automate. Si
l'on assigne à chaque morphème un symbole, on ramène le problème de
la spécification d'une langue à celui de la spécification d'un ensemble de chaînes. Si l'on construit un automate de reconnaissance approprié, cet automate caractérisera exactement la bonne forme de cet

---

2. En toute rigueur, il faudrait spécifier comme première étape:
   "l'automate écrit <u>ab</u>".

3. Cette manière de concevoir une langue correspond à la définition
   d'un <u>langage</u> dans la linguistique mathématique.

ensemble; si, d'autre part, nous écrivons la grammaire sous la forme
d'un automate de production, cet automate établira une liste des phrases de cette langue. Les grammaires écrites sous la forme d'un automate sont habituellement appelées grammaires génératives et on dit
qu'elles engendrent l'ensemble des phrases de la langue. Bien que la
plupart de ces grammaires soient écrites sous la forme d'automates de
production, on doit éviter la confusion possible entre la notion de
production et celle de génération. Celle-ci n'implique pas de direc-
tion privilégiée: une grammaire générative, en principe, n'est qu'u-
ne manière particulière de caractériser un ensemble (par exemple, on
peut dire qu'un automate de reconnaissance comme l'automate $\underline{A}$ ci-dessus
engendre l'ensemble $\{a^n b^n\}$).

b. La différence entre la spécification d'un ensemble et l'écriture
d'une grammaire réside dans le fait que l'ensemble des phrases d'une
langue n'est pas donné a priori. On procède à partir d'un échantillon restreint des phrases existantes du français, par exemple,
sans parler de toutes les phrases possibles de cette langue dont le
nombre est potentiellement infini. Ainsi donc, tout automate qu'on
peut proposer comme modèle du français représente en fait une hypothèse s'appuyant sur des observations restreintes. L'avantage d'un
tel modèle consiste en ce que, s'il a des déficiences, on les détec-
tera aisément: par exemple, si un automate de reconnaissance n'ac-
cepte pas une phrase manifestement irréprochable, ce n'est pas un modèle adéquat et il faut le remplacer. (Dans le cas d'un automate
construit expressément pour définir un ensemble, on sait que chaque
entrée non acceptée n'appartient pas à cet ensemble.)

3. Reformulation des modèles précédents

a. Nous allons esquisser ici une reformulation de la structure de
chaîne en termes d'un automate de reconnaissance semblable à l'auto-

mate A ci-dessus. Il s'agit en l'occurrence d'utiliser les multiples couches de contiguïté mises en évidence par la structure en chaîne. Chaque adjonction formée d'un morphème unique est contiguë à son hôte. Si nous assignons à chaque classe de morphèmes un symbole indiquant à quels hôtes elle peut être adjointe, on sera en mesure de parcourir séquentiellement la phrase proposée et d'en effacer les adjonctions les plus profondément enchâssées. En répétant cette opération, on effacera les adjonctions de la couche immédiatement supérieure et ainsi de suite.

Il n'est pas suffisant, cependant, de reconnaître les adjonctions des morphèmes isolés. On doit construire l'automate de telle sorte qu'il puisse également reconnaître les chaînes adjointes et, naturellement, les chaînes centrales elles-mêmes. Nous pouvons y arriver en recherchant les morphèmes grammaticaux qui sont caractéristiques d'un certain type de chaînes adjointes, puis en effectuant le calcul de reconnaissance de toute l'adjonction dont la structure est maintenant connue. Quand ceci est fait, l'adjonction entière peut être effacée et le traitement de la phrase continue.

La complexité d'un automate de reconnaissance pour une langue naturelle relève de deux principaux facteurs. Le premier est qu'une classe de morphèmes particulière peut jouer différents rôles; donc, l'automate doit examiner chacune des possibilités quand il trouve un symbole particulier. Le second est que certaines chaînes, dont la chaîne centrale, ne sont pas marquées explicitement par un morphème grammatical spécifique; pour ces chaînes, la reconnaissance doit se fonder sur la structure interne de la chaîne proprement dite.

b. Les automates de production fondés sur les principes de l'analyse en constituants immédiats ont été étudiés en détail, en particulier par Chomsky, sous le nom de systèmes de règles de réécriture

(entre autres, les systèmes de règles de réécriture indépendantes du
contexte).

Si nous assignons à chaque type de constituants d'une langue un symbole distinct, il est possible d'exprimer une description
en constituants immédiats par des formules ou des règles du type proposé par Harris (à la différence importante cependant que nous ferions
des distinctions parmi les différents types de constituants qui sont
équivalents syntaxiquement à une classe de morphèmes particulière,
par exemple N). Dans le but de construire un automate qui engendre-
rait une langue dont les propriétés structurales seraient énoncées
par ces formules, on aurait à écrire une série d'instructions engen-
drant les structures appropriées. Une façon d'y arriver est d'utiliser des règles de réécriture. Une règle de réécriture peut se comprendre comme une instruction pour réécrire une chaîne particulière
A en une autre chaîne B chaque fois que la chaîne A est présente
dans la chaîne d'entrée. On utilise la notation A→B, où la flèche
est le symbole de réécriture. L'automate qui comporte ces règles
peut être considéré comme un outil qui explicite la structure de la
chaîne A. Par exemple, si nous considérons au départ le symbole P
(pour phrase), on peut d'abord développer une phrase en ses constituants principaux (groupe nominal et groupe verbal): au niveau des
symboles formels, l'instruction correspondante s'écrira P→GN GV.
On peut ensuite écrire les règles qui correspondent au développement
des structures du groupe nominal et du groupe verbal en leurs constituants immédiats (GN→DN), et ainsi de suite.

On doit distinguer: l'automate lui-même ne travaille pas
sur des phrases d'une langue; il ne fait que manipuler des symboles
tout à fait abstraits. Ces symboles peuvent ensuite être interprétés comme correspondant à des constituants de phrases d'une langue naturelle. L'automate produit des dérivations, c'est-à-dire des
séquences de chaînes de symboles où chaque chaîne est obtenue à partir de la précédente par l'application de l'une des règles.

c. Un système de règles de réécriture se définit comme un triplet
< $\underline{V}$, $\underline{P}$, $\underline{R}$ > où

$\underline{V}$ est un ensemble de symboles (le vocabulaire) qui est divisé en
deux sous-ensembles exclusifs: $V_{\underline{a}}$ (le vocabulaire auxiliaire)
et $V_{\underline{t}}$ (le vocabulaire terminal)

$\underline{P}$ est un symbole particulier du vocabulaire auxiliaire $V_{\underline{a}}$ (l'axiome)

$\underline{R}$ est un ensemble de règles de la forme $\underline{x} \to \underline{y}$, où $\underline{x}$ et $\underline{y}$ sont des
chaînes de symboles du vocabulaire $\underline{V}$.

On définit une dérivation comme une séquence de chaînes
dont la première est P, et telle que chacune des chaînes subséquentes
s'obtient par l'application d'une règle de la chaîne qui la précède
(la nouvelle chaîne est identique à la chaîne dont elle dérive sauf
qu'on y remarque le remplacement d'une occurrence d'une sous-chaîne
$\underline{x}$ par une sous-chaîne $\underline{y}$ telle que $\underline{x} \to \underline{y}$ est un élément de $\underline{R}$.) Une
dérivation est dite terminale quand la dernière chaîne obtenue ne con-
tient aucun symbole auxiliaire.

On voit maintenant comment écrire un système pour engendrer
les structures d'ordre des phrases d'une langue: il suffit de choisir
un symbole auxiliaire pour chaque type de constituants, un symbole
terminal pour chaque classe de morphèmes, puis d'écrire une règle
correspondant à la structure de chaque type de constituants. Les règles
auront la forme $\underline{C} \to XY...Z$, où $\underline{C}$ correspond à un type de constituants,
et $\underline{X}$, $\underline{Y}$,...$\underline{Z}$ correspondent aux constituants immédiats de $\underline{C}$. Le symbole privilégié de départ (l'axiome) sera interprété comme correspon-
dant à l'unité phrase.

Quand il s'agit d'applications linguistiques, on trouve souvent qu'une telle dérivation (séquence de chaînes) est une représentation trop encombrante qui fournit des détails inutiles; en effet, chaque ligne d'une dérivation contient de l'information qui se rapporte à l'application d'une seule règle. En utilisant le système no 1, par exemple, on peut produire la dérivation A et la dérivation B.

Système no 1

P → GN   GV

GV → temps   V   GN

GN → Déterminant   N

Dérivation A

P

GN   GV

Déterminant   N   GV

Déterminant   N   temps V   GN

Déterminant   N   temps V   Déterminant N

Dérivation B

P

GN   GV

GN   temps V   GN

Déterminant N temps V GN

Déterminant N temps V Déterminant N

Les dérivations A et B ne correspondent pas à des structures de constituants différentes: elles ne diffèrent que par l'ordre dans lequel les diverses parties de la structure ont été explicitées. Une façon d'éliminer ce type de redondance pour ne conserver que l'in-

formation structurale consiste à recourir à une représentation graphique, par exemple, l'arbre étiqueté suivant.

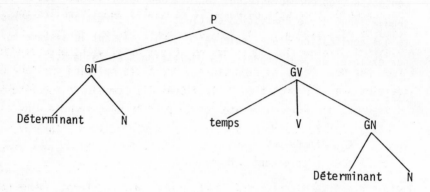

        Dans cet arbre, chaque embranchement représente l'applica-
tion d'une règle; dans une telle représentation, les aspects non pertinents de l'ordre d'application des règles n'entrent plus en ligne
de compte. Il est bon de faire remarquer ici que de tels diagrammes
sont équivalents aux boîtes de Hockett, à l'exception toutefois des
symboles spéciaux utilisés pour étiqueter les représentations arbo-
rescentes.

4. Problèmes de la structure sélectionnelle

        Les automates comme ceux qu'on vient de présenter ne s'ap-
pliquent pas au traitement des propriétés de sélection des morphèmes.
Nous l'avons vu, l'automate pour la reconnaissance des chaînes(10.3.a.)
présuppose que les morphèmes ont été préalablement assignés à des classes de morphèmes; un tel automate n'a donc pas à vérifier les contraintes entre morphèmes individuels. De la même façon, les systèmes de règles de réécriture (10.3.c.) peuvent engendrer des structures d'ordre spécifiées en termes de classes de morphèmes mais ils

ne peuvent pas non plus traiter les questions de sélection. Les premières expériences dans l'écriture de grammaires génératives n'ont
pas tenu compte de ce problème. Dans Structures syntaxiques, Chomsky,
par exemple, proposait un ensemble de règles additionnelles (au système de règles déjà vu) du type *N→garçon, ballon, golf,...* Cela re-
venait à dire que les décisions de sélection allaient être représentées par des règles de réécriture. Une telle solution implique évidemment une interprétation de la flèche (le symbole de réécriture)
différente de celle qui a été donnée pour le même symbole dans la
règle P → GN GV, par exemple. Dans ce dernier cas, → s'interprète
comme un développement de la formule structurale, tandis que dans
l'autre cas, → signifie une décision particulière de sélection dans
une formule structurale déjà développée. Une notation commune pour
ces deux types de règles importe peu en ce qui concerne l'automate
qu'on utilise à titre de modèle du langage mais peut affecter notre
conception du langage en ce qu'elle masque les différences entre les
deux phénomènes. Il y a autre chose. On a déjà vu que les deux sortes de conditions sur la bonne forme se distinguent nettement: les
structures d'ordre sont soumises à de stricts impératifs que les règles de réécriture représentent très bien mais les décisions de sélection, elles, sont soumises à des contraintes plus élastiques et
doivent être évaluées plutôt que simplement acceptées ou rejetées.
C'est pourquoi les grammairiens génératifs se sont rapidement détour-
nés des règles de réécriture pour adopter un système de spécifications
de traits capable de rendre compte de la structure sélectionnelle.
Dans ce système, chaque symbole représentant une classe de morphèmes
se voit attribuer des spécifications additionnelles: par exemple, N
est spécifié comme suit: N [animé, concret, ...]. La structure

ainsi obtenue sera alors:

1^0 évaluée compte tenu des traits présents,

2^0 complétée par les morphèmes correspondant aux traits spécifiés.

Textes de référence

Chomsky (1957), chapitre 4
Gross et Lentin (1967), chapitre 3
Harris (1968), chapitre 3
Hockett (1958)
Hockett (1968)

SUJETS DE RÉFLEXION

1. a) Fabriquez deux systèmes distincts pour engendrer des structures d'ordre d'un ensemble de phrases françaises.

    b) Sélectionnez au hasard des phrases correspondant aux structures d'ordre possibles dans les deux cas.

    c) Comparez.

2. a) Établissez un lexique des termes "mathématiques" utilisés dans ce chapitre (ou dans les autres).

    b) Consultez les ouvrages spécialisés à ce sujet pour documenter ce lexique (par exemple, Gross et Lentin, 1967).

3. Illustrez ces notions par des exemples tirés de la description d'ensembles restreints de phénomènes du français (aux niveaux morphologiques et syntaxiques, par exemple).

4. Quelles critiques générales peut-on faire à l'endroit des automates en tant que
    a) modèles de la représentation de patrons syntaxiques
    b) modèles de la représentation du langage

5. Comment pourriez-vous
    a) justifier
    b) critiquer
    l'attitude envers la linguistique mathématique présentée dans Hockett (1967) et Hockett (1968).

11

LES TRANSFORMATIONS

1. Analyse distributionnelle du discours

a. Nous avons observé que la plupart des recherches en syntaxe
s'attachaient à l'étude de la structure des phrases parce que la phrase est la forme libre minimale d'expression d'un message. Plusieurs
linguistes, cependant, parmi lesquels Z.S. Harris, ont examiné la
structure d'unités d'expression plus larges. Le terme _discours_ se
rapporte à toute succession de phrases qui montre une certaine cohérence (tout au moins du point de vue de l'autophone). Le but des
analyses du discours consiste à caractériser formellement cette notion intuitive de la cohérence en termes des relations qui existent
entre des phrases successives. Harris aborde ce problème avec les
mêmes outils et dans le même esprit que dans le cas des relations
interphrastiques. Pour commencer, il s'agit d'appliquer l'analyse
distributionnelle aux morphèmes ou groupements de morphèmes du texte.

Quand on applique cette analyse à toutes les phrases d'une langue
(ou plus exactement à un large échantillonnage de phrases), elle fait
ressortir les classes morphémiques de base. Par contre, si nous appliquons une telle analyse à un texte (ou discours) particulier, on devrait
obtenir des classes plus restreintes mais correspondant à des propriétés
particulières du texte. Pour la plupart des textes, cependant, on ne
peut appliquer strictement les critères distributionnels, par exemple,
celui qui consiste à effectuer des substitutions dans des environnements
identiques. On doit alors faire appel à une extension de ce critère
en considérant des environnements équivalents. Deux environnements
sont dits équivalents s'ils ne diffèrent que par la substitution de
morphèmes qui se présentent dans des environnements équivalents et
non plus dans des environnements identiques. Il est alors possible
d'étendre d'une façon récursive la notion de classe distributionnelle
et d'obtenir des classes contextuelles qui représentent les propriétés des morphèmes par rapport aux environnements restreints qui apparaissent dans un discours particulier. Un résultat intéressant est
que les classes contextuelles ainsi obtenues possèdent une homogénéi-
té sémantique remarquable, sans doute parce qu'elles reflètent l'organisation lexicale du texte.

b. Puisque les classes contextuelles sont déterminées à la suite de
l'analyse d'un discours particulier, on peut s'attendre à ce qu'elles
réfléchissent certaines propriétés structurales de ce discours mieux
que les classes distributionnelles considérées dans leur ensemble.
On peut, en particulier, essayer de représenter l'organisation syntagmatique du discours par les chaînes des noms de classes contextuelles
correspondant aux phrases successives du discours. On forme ainsi des
chaînes de symboles en remplaçant chaque élément lexical de chaque
phrase par le symbole de la classe contextuelle à laquelle il appartient.

La structure du discours (a) par exemple:

(a)   *Jean étudie; Marie travaille. Les gens pensent*
        qu'ils sont heureux, dites-vous. Je pense qu'ils
        s'ennuient. Je suis sûr que vous savez qu'ils
        perdent leur temps.

apparaît sous la forme (b):

(b) G = *Jean, Marie, ils*

     H = *Je, vous, les gens*

     W = *travailler, étudier, être heureux, s'ennuyer, perdre son temps*

     U = *penser, dire, être sûr, savoir*

                    G W

                    G W

              H U   G W   U H

              H U   G W

         H U   H U   G W

En général, il est possible de représenter la majeure partie d'un discours sous forme d'une table, où chaque ligne correspond à une phrase et chaque colonne à une classe contextuelle. Ainsi donc, une analyse du discours met en relief une représentation de la structure lexicale déterminée à travers le texte analysé (pour autant que les classes contextuelles représentent des paradigmes lexicaux). Ce résultat est important du fait qu'un discours apparaît alors comme un ensemble de relations paradigmatiques (entre les membres des classes contextuelles) et un ensemble de relations syntagmatiques (entre les éléments de chaque phrase, de telle sorte que ces relations sont les mêmes entre deux classes contextuelles données du discours).

c. Alors que la majeure partie d'un discours peut se réduire à un schéma relationnel du type que nous venons de voir, certaines phrases restent encore irréductibles. Ces phrases présentent une organisation syntagmatique qui ne correspond pas à la succession des classes observées dans les autres phrases, déjà réduites. Par exemple, alors que la plupart des lignes de la figure donnent les syntagmes G W, H U G W, ou H U H U G W, on trouvera cependant quelques cas de H U G W U H.

On constate que ces phrases exceptionnelles ont une propriété importante: pour chacune d'entre elles, il est possible de trouver une autre phrase qui utilise le même vocabulaire et dont la structure syntagmatique correspond au schéma relationnel du discours. De plus, ces phrases "succédanées", habituellement, peuvent commuter avec la phrase d'origine. À titre d'illustration, faisons H = (quelqu'un, chacun, ...), U = (pense, dit, ...), G = (honnêteté, foi, péché, ...),

W = (est bon, dure, disparaît, ...); on peut avoir dans le texte *cha-cun pense que l'honnêteté disparaît, dit quelqu'un,* qui est un syntag-me H U G W U H; il existe un syntagme correspondant du type H U H U G W: *quelqu'un dit que chacun pense que l'honnêteté disparaît.*

C'est ainsi qu'on en arrive à penser que la notion de va-riante (libre ou conditionnée par la distribution) peut s'appliquer à des unités phrastiques aussi bien qu'à des unités intraphrastiques. On notera que, puisque le même vocabulaire est conservé, la variation ne concerne que l'arrangement syntagmatique des unités.

2. Invariants de sélection

a. On peut pousser plus loin l'idée contenue dans l'établissement des variantes de phrases pour l'analyse du discours. Pour ce faire, on doit d'abord séparer la structure d'ordre d'une phrase (dénotée par σ) de ses propriétés de sélection (dénotés par λ) qui résultent d'un choix particulier d'unités lexicales. On voit donc que chaque phrase consiste dans une paire ordonnée $\langle \sigma , \lambda \rangle$, c'est-à-dire une structure d'ordre particulière avec un choix lexical particulier. Deux phrases peuvent donc être reliées soit par leur σ soit par leur λ. Entre autres, elles peuvent avoir le même σ ou le même λ : les variantes de phrases dans l'analyse du discours sont un exemple du deuxième cas.

Si nous considérons d'un peu plus près la collection de phrases qui partagent un σ donné, on peut observer que, à cause des con-traintes de sélection, certains λ produiront des résultats plus accep-tables que d'autres (par exemple pour $\sigma =$ DN tV, le choix $\langle$ un, roche,

tomber $\rangle$ est plus acceptable que $\langle$ le, beurre, pleurer $\rangle$). Donc, pour
un σ donné, les contraintes de sélection se refléteront dans un ordre
d'acceptabilité particulier des choix lexicaux λ possibles.

Quant aux variantes phrastiques dans l'analyse du discours,
on peut les décrire comme deux (ou plusieurs) phrases qui ont les
memes λ avec des σ différents, mais tels qu'elles sont à peu
près substituables dans un contexte donné. Cela ne signifie pas
qu'elles seront également acceptables dans ce contexte, mais signifie
plutôt que toute variation d'acceptabilité qui se produit ne résulte
que du changement des σ puisque les λ restent les mêmes. On peut donc
s'attendre à ce que les σ associés à chaque variante phrastique diffèrent systématiquement dans leur acceptabilité dans un contexte donné.
Cela implique que l'ordre d'acceptabilité des λ doit être le même pour
tous les σ des diverses variantes. Comme nous l'avons vu plus haut,
c'est là une indication que ces σ ont en commun un invariant de structure sélectionnelle.

b. Les paires particulières de syntagmes que nous comparons dans une
analyse du discours sont très restreintes, d'abord parce qu'elles représentent des structures de phrases et ensuite parce qu'elles correspondent à des phrases qui ont pratiquement les mêmes propriétés (en
particulier, elles ont le même sens). Il serait donc judicieux de
rechercher des invariants sélectionnels manifestés dans des syntagmes
qui n'auraient pas nécessairement la longueur d'une phrase et qui ne
seraient pas nécessairement paraphrastiques.

Si nous retournons à l'analyse en chaîne , nous nous rappelle-
rons que la structure sélectionnelle se révèle de deux façons différentes. On peut donc explorer les relations entre les structures de
sélection de chaînes centrales élémentaires différentes, et celles
des chaînes centrales et des adjonctions.

On s'aperçoit d'abord que certaines des chaînes centrales ont une sous-chaîne dont les classes correspondent à celles d'autres chaînes centrales; par exemple $\sigma_1 = DNtV_p$ que $DNtV\Omega$ se compare avec $\sigma_2 = DNtV\Omega$. Si nous fixons la première partie de σ_1, $DNtV_p$, on observe que l'ordre d'acceptabilité pour des choix différents des unités lexicales dans la partie commune $DNtV\Omega$ est la même pour σ_1 et σ_2. On est donc amené à poser un invariant de sélection partiel entre σ_1 et σ_2. Deux syntagmes d'une chaîne centrale peuvent avoir exactement les mêmes classes de morphèmes: on a alors le cas spécial que nous avons examiné précédemment (11.2.a.).

Les contraintes de sélection imposées à l'insertion d'une chaîne adjointe impliquent l'adjonction et son hôte qui est un morphème particulier de la chaîne qui reçoit l'adjonction. Il se trouve qu'avec ces éléments (l'adjonction et son hôte), nous pouvons construire un syntagme-phrase qui partage un invariant de sélection avec la phrase complète (c'est-à-dire le résultat obtenu en insérant l'adjonction dans la phrase de départ). Par exemple, dans DANtV (*le magnifique chat a sauté*), l'adjonction A forme avec son hôte N un syntagme de phrase DNt être A (*le chat est magnifique*) qui partage un invariant de sélection partiel avec DANtV. Le syntagme DANtV partage de plus un autre invariant de sélection partiel avec DNtV (*le chat a sauté*). Il est donc possible de dire que la structure de sélection de cette phrase se dérive par la combinaison des structures de sélection des deux syntagmes de phrase DNtV et DNt être A.

3. La description d'une langue

a. Nous sommes maintenant en mesure de fournir la description complète de la syntaxe d'une langue, pour autant que les relations d'invariance sélectionnelle sont une propriété générale du langage. De

fait, les difficultés rencontrées au cours des essais de description
précédents résident dans l'énoncé des structures de sélection, et ce
pour deux raisons. La première, sur laquelle Chomsky a mis l'accent,
est que la même contrainte de sélection semble s'appliquer à des structures d'ordre différentes. Si nous énonçons les propriétés de sélection d'une façon indépendante pour chaque structure d'ordre, nous sommes rapidement amenés à une grammaire très redondante (une grammaire
idéale étant celle où chaque relation pertinente n'est énoncée qu'une
fois). La seconde source de difficultés pour la structure de sélection réside dans le caractère élastique de cette structure: au contraire des relations d'ordre qui sont catégoriques, les relations de
sélection indiquent des préférences plutôt que des obligations. L'observation des invariants de sélection se fonde précisément sur cette
propriété, dont la conséquence est un ordre d'acceptabilité pour différents choix lexicaux plutôt qu'une exclusion abrupte de certains d'entre eux. Ces relations d'invariance représentent donc la caractéristique principale de la structure de sélection, rendant ainsi inutiles
des énoncés répétés d'une même propriété et réduisant ainsi au mini-
mum la redondance d'une grammaire.

b. La description d'une langue devra donc consister en deux composantes en interaction. Les structures d'ordre peuvent se décrire
en termes de chaînes ou en termes de constituants (et nous avons vu
que les derniers étaient prédictibles à partir des premiers). Ces
structures d'ordre sont donc rassemblées en classes, caractérisées
par des invariants de sélection, qui peuvent avoir une intersection
non vide. Les relations entre les syntagmes d'une même classe d'invariance de sélection sont dites transformations. On n'aura ainsi
à décrire qu'une fois la structure de sélection pour chaque classe;
on peut donner cette description pour le syntagme qui est le plus
simple de sa classe (la simplicité étant calculée d'une manière ou
d'une autre, par exemple, en comptant le nombre des symboles dans

la représentation du syntagme). Ainsi, σ = DANtV appartiendrait à deux classes d'invariance de sélection, dont l'une contiendrait également σ_1 = DNt être A, l'autre contenant également σ_2 = DNtV. La description des contraintes de sélection entre N et A pour σ_1 et entre N et V pour σ_2 suffit à caractériser les propriétés de sélection de σ.

4. Les transformations comme signes linguistiques

a. Une transformation, définie comme un invariant de sélection, relie deux syntagmes qui ont une structure d'ordre particulière. Il est donc possible de formuler les différences principales de structure d'ordre qui existent entre deux syntagmes. Dans les cas où un syntagme particulier σ est relié par des invariants de sélection partiels à deux autres syntagmes, σ_1 et σ_2, on peut définir une transformation binaire comme une relation entre σ et la paire $\langle\sigma_1, \sigma_2\rangle$ qui consiste dans les différences entre σ et chacun des syntagmes σ_1 et σ_2. Ces différences sont constantes et impliquent des modifications d'ordre ou des insertions ou élisions de morphèmes constants, les __constantes trans-formationnelles__. Finalement, on trouve des cas où un syntagme σ_1 est relié à un autre syntagme σ_2, qui comporte moins de matériel lexical que σ (ainsi dans l'exemple de 11.2.b. où σ_1 = DNtVp que DNtVΩ, et σ_2 = DNtVΩ). Dans ces cas, on ne peut parler d'une différence constante entre deux syntagmes puisque cette différence dépend des choix lexicaux pour les classes présentes dans σ_1 et absentes de σ_2. On peut alors considérer que la relation entre σ_1 et σ_2 correspond à une famille de transformations (on associe une transformation à chaque choix lexical pour les classes variables; ces choix lexicaux sont alors considérés comme des constantes transformationnelles).

Il est intéressant ici d'examiner quelles relations séman-tiques correspondent à la différence constante entre les syntagmes

d'une relation transformationnelle. L'impression intuitive est que
les phrases obtenues à partir des deux syntagmes par un même choix
lexical n'ont pas nécessairement le même sens, mais que de toute façon la différence de sens ne dépend pas du choix lexical particulier.
En d'autres termes, une différence constante au niveau de l'expression
(les constantes transformationnelles et les changements d'ordre) semble être associée avec une différence constante au niveau du contenu.
Ceci nous rappelle la définition que Saussure donne d'un signe linguistique: une association entre un concept (que nous pouvons interpréter comme une constante au plan du contenu) et une image acousti-
que (c'est-à-dire une constante au plan de l'expression). Dans le
cadre des transformations, on traite de différences entre des unités
d'expression et des unités du contenu; mais puisque toutes les définitions de ces unités sont relatives, on peut considérer une transformation, qui associe une (différence) constante au plan de l'expression avec une (différence) constante au plan du contenu, comme
un signe au sens saussurien. Ainsi, la notion de transformation donne forme à l'intuition,déjà présente en grammaire traditionnelle,des
correspondances systématiques (à la fois au plan de l'expression et
au plan du contenu) entre les phrases d'une langue.

b. Les cas particuliers où la différence sémantique est zéro (s'il
en existe) sont intéressants. Quand la différence au plan du contenu entre deux syntagmes n'est pas zéro, on peut considérer cette
différence comme le sens des constantes transformationnelles et/ou
des changements de structure d'ordre; il n'en est pas ainsi dans le
cas où la différence sémantique est zéro. Il se produit alors que
nous avons deux (ou plusieurs) expressions pour un même contenu.
Ainsi, les transformations paraphrastiques constituent l'une des
manifestations du non-isomorphisme entre le contenu et l'expression.
Ces transformations correspondent à l'observation de Martinet que les
relations d'ordre ne sont pas toujours pertinentes dans une syntaxe

fonctionnelle. De fait, si nous pouvons fournir une description formelle des structures du contenu, les transformations paraphrastiques
fournissent un (et peut-être le seul) moyen de formaliser l'observation de Martinet. La situation inverse se produit également. Il est
possible d'obtenir deux structures du contenu qui correspondent au
même syntagme dans l'expression. Cela s'observe quand un syntagme
particulier σ est dans une relation transformationnelle paraphrastique avec chacun des deux syntagmes σ_1 et σ_2, qui ne sont pas reliés
l'un à l'autre par une transformation paraphrastique. Le syntagme
σ est alors dit ambigu. Il est important de noter que, dans cette
formulation, la reconnaissance de l'ambiguïté des syntagmes dépend
de la reconnaissance du phénomène d'invariance sélectionnelle dans
les transformations. Ce point met en relief un principe de dualité
possible dans le langage entre les relations du type transformation
et des objets du type syntagme. Un phénomène de dualité semblable
s'observe entre la structure phonémique des morphèmes et les relations
morphophonémiques. Ce comportement similaire justifie l'extension de
l'étiquette morphophonémique à des transformations paraphrastiques.

5. Un modèle génératif du langage

a. L'observation de la correspondance systématique qui existe entre
les structures d'ordre des syntagmes qui partagent un même invariant
de sélection a une conséquence intéressante. Au lieu de décrire sé-
parément toutes les structures d'ordre possibles d'une langue, on pourrait décrire une seule structure d'ordre pour chaque classe d'invariance de sélection et ensuite dériver les autres structures d'ordre,
pour chaque classe, en introduisant algorithmiquement les différences
transformationnelles. On peut écrire une relation transformationnelle comme une règle de dérivation qui s'applique à un syntagme d'une
structure donnée et qui modifie cette structure d'une manière spéci-

fique. Il serait alors possible de rendre compte non seulement de
la structure d'ordre mais de la structure de sélection par les mêmes
énoncés descriptifs. Si nous partons des syntagmes des phrases élémentaires et de leur structure de sélection, on peut engendrer le reste d'une langue en produisant les autres structures d'ordre selon les
lignes d'invariance sélectionnelle. Les règles transformationnelles
apparaissent alors comme la manifestation d'opérateurs. Tous ces opérateurs ont la propriété de conserver la structure de sélection de
leurs opérandes; ils peuvent cependant se diviser en trois types selon
les effets produits sur la structure d'ordre. Les opérateurs du premier type combinent deux opérandes en un seul syntagme: les structures de sélection des opérandes sont également combinées (par exemple,
QU-[*un homme est venu ici, un homme voulait te voir*] = *un homme qui*
voulait te voir est venu ici). Les opérateurs du deuxième type ajoutent à leurs opérandes quelques morphèmes spécifiques et leurs nouvelles contraintes de sélection qui n'affectent pas celles qui sont
déjà présentes dans l'opérande (par exemple *je pense* [*Jean est parti*]
= *je pense que Jean est parti*). Les opérateurs du troisième type
(opérateurs morphophonémiques ou paraphrastiques) changent la structure
d'ordre de leurs opérandes sans autres effets (par exemple, Passif
[*on a applaudi Herménégilde*] = *Herménégilde a été applaudi*).

Il est donc possible d'interpréter les structures des phrases comme résultant de l'action de ces opérateurs sur des phrases
élémentaires.

b. L'image de la structure syntaxique ainsi obtenue n'est pas encore
tout à fait complète. En particulier, on n'a pas encore le moyen de
spécifier la structure des phrases élémentaires elles-mêmes. Un syntagme d'une phrase élémentaire est composé d'un certain nombre de
classes associées par des relations d'ordre et de sélection. Nous
avons vu que certains des opérateurs (ceux du deuxième type) intro-

duisent des relations de sélection supplémentaires. Cela suggère
qu'il est possible de considérer les phrases élémentaires elles-mêmes
comme produites par l'action d'opérateurs qui introduisent des structures d'ordre et de sélection particulières. Si nous revenons encore
une fois à l'analyse en chaîne , nous notons que les phrases élémentaires et celles qui résultent de l'action des opérateurs du deuxième
type correspondent ensemble aux chaînes centrales élémentaires (c'est-
à-dire que l'analyse en chaîne ne fournit pas la possibilité de pousser plus loin l'analyse des syntagmes comme $\sigma_1 = DNtV_p$ que $DNtV\Omega$.
Nous avons remarqué (9.3.a.) que les contraintes de sélection des
chaînes centrales pouvaient se décrire comme les propriétés d'une
classe particulière (V_p dans notre exemple). On peut donc considérer que les deux types de chaînes centrales résultent de l'action
d'opérateurs dont les opérandes comprennent au moins un N (par opposition aux autres opérateurs) et qui imposent à la fois des relations
d'ordre et des relations de sélection à ces opérandes. Ainsi
l'exemple plus haut *je pense que Jean est parti* peut être réanalysé
comme *pense [Je, Jean est parti]*. De la même façon, la phrase élémentaire *Jean aime Marie* peut s'analyser comme *aime [Jean, Marie]* .
pense et *aime* sont ici les traces d'opérateurs qui servent à créer
des phrases à partir d'unités qui ne sont pas toutes des phrases.
Chaque langue semble assigner une place caractéristique aux traces
de tels opérateurs (en français, immédiatement après le premier opérande).

c. On peut maintenant construire un modèle génératif d'une langue
sous la forme d'un automate qui consisterait en plusieurs ensembles
d'opérateurs. Les opérateurs du premier ensemble prennent un certain
nombre d'opérandes (spécifié pour chaque opérateur) dans un ensemble
d'éléments de base (les "noms") et fabriquent des phrases élémentaires
dont l'acceptabilité dépend du choix des opérandes pour chaque contrainte de sélection imposée par l'opérateur. Les opérateurs du

deuxième ensemble prennent certains opérandes dans l'ensemble des noms, et d'autres opérandes dans les phrases produites par l'automate pour produire de nouvelles phrases. Le troisième ensemble contient les opérateurs de combinaison qui fabriquent de nouvelles phrases à partir des phrases déjà obtenues. Finalement, chaque opérateur morphophonémique produit une phrase paraphrastique à partir d'une phrase d'une structure spécifique.

Le fonctionnement de la plupart des opérateurs est entièrement libre puisqu'ils n'imposent pas de structure spécifique à leurs opérandes. Par contre, le fonctionnement des opérateurs paraphrastiques dépend au moins de la structure particulière requise pour leurs opérandes. Il reste la question intéressante de savoir si les opérateurs de ce dernier type sont contraints d'une autre façon, par un contexte débordant la phrase proprement dite (c'est-à-dire le contexte du discours).

Textes de référence

Gross (1968)
Harris (1963)
Harris (1968), chapitres 4 et 5
Plötz (1972)

SUJETS DE RÉFLEXION

1. a) Illustrez la réduction d'un discours à un ensemble de relations paradigmatiques et à un ensemble de relations syntagmatiques.

   b) Notez les phrases de ce discours qui échappent à cette réduction.

   c) Trouvez des phrases équivalentes qui sont conformes au schéma général.

2. De quelles façons des phrases partagent-elles des invariants sélectionnels.

3. Même si les notions d'opérateurs et d'opérandes restent commodes pour la définition d'un modèle génératif d'une langue, est-il possible de les caractériser formellement ?

4. Illustrez l'analyse de quelques phrases en un σ et en un λ.

5. À partir de grammaires d'enseignement courantes, vérifiez le fait que la notion de transformation correspond souvent à des correspondances systématiques implicites dans ces grammaires.

12

LA GRAMMAIRE GÉNÉRATIVE ET TRANSFORMATIONNELLE

1. Deux façons de traiter les problèmes de sélection

a. Dans Hockett (1958), il y a un court chapitre intitulé "Surface and Deep Grammar". Hockett y fait remarquer qu'il existe entre certains éléments d'une phrase des relations, importantes pour la compréhension de cette phrase, qui n'ont pas d'expression dans la forme observable et qui, en conséquence, échappent à l'analyse en constituants immédiats. Dans une description en constituants immédiats, le syntacticien rencontre des groupements superficiels des éléments d'une phrase; Hockett suggère qu'il existe des relations différentes et plus profondes perçues par l'autophone dans les phrases qu'il entend. Il leur donne le nom de structures profondes. Il est intéressant de noter que plusieurs expériences récentes portant sur la mémorisation de phrases semblent confirmer l'existence de telles relations, qui pourtant n'apparaissent pas dans la structure en constituants immédiats des phrases réelles.

On a un aperçu du type de relations auquel songe Hockett
dans certains des exemples qu'il fournit. Par exemple, dans la discussion d'un exemple du chinois, il propose d'utiliser la notion de
valence, précisément dans le même sens que le faisait Tesnière: "Le
morphème kāi, pour ainsi dire, a une valence positive...: ce morphème cherche à s'approprier dans le contexte un élément qui lui con-
vienne comme objet".

Ce type de relations entre morphèmes est précisément ce que
nous avons appelé contraintes de sélection. Dans l'exemple de
Hockett, la sélection d'un morphème particulier est contrainte par
le choix de kāi dans une autre position[1].

Donc, Hockett confine les relations d'ordre à une grammaire de surface et pose pour rendre compte de la structure de sélection, "divers paliers de grammaire profonde qui sont en relation
étroite avec la façon dont nous parlons ou comprenons...".

b. Nous avons vu que Harris, après avoir élaboré le concept d'une
transformation comme invariant de sélection, en était venu à considérer les transformations elles-mêmes comme l'un des résultats de
l'action d'opérateurs de diverses espèces; ces mêmes opérateurs
avaient comme autres résultats de fournir une structure en chaîne
particulière pour chaque phrase résultante et un certain ordre
d'acceptabilité reflétant les contraintes de sélection sur le choix
des opérandes: dans cette conception de la structure syntaxique,

---

1. Notons au passage que nous comprenons mieux maintenant ce que
   Tesnière voulait dire par connexion syntaxique: il pensait à
   ce que nous appelons structure sélectionnelle.

les contraintes de sélection apparaissent comme des relations entre un opérateur et ses opérandes possibles.

c. Tandis que Hockett et Harris travaillaient à la solution du problème de la représentation des structures de sélection, Chomsky élaborait vers la même époque une formalisation de la théorie syntaxique (et d'une façon plus générale de la théorie linguistique) dans un travail semblable à celui de Harris dans Methods in Structural linguistics (où Harris ne considère la syntaxe que d'une façon marginale). Après avoir formalisé les principes de la structure de constituants immédiats, Chomsky en fait ressortir les nombreuses déficiences et propose l'établissement d'un autre niveau de description syntaxique, le niveau transformationnel. Les transformations sont alors considérées comme un outil pour rendre compte des relations interphrastiques et intraphrastiques que Hockett avait aussi observées et désignées sous le nom de grammaire profonde. Par exemple, une description en structure de constituants immédiats peut rendre compte des phrases *le chien semble avoir faim* et *il semble que le chien a faim*, mais elle le fera dans des termes complètement différents (parce que les constituants sont très différents); elle ne peut rendre compte de la relation systématique qui existe entre ces deux phrases, ou entre deux autres phrases possédant des propriétés semblables. Du point de vue de l'analyse transformationnelle, la réponse est évidente: ces deux phrases (qu'elles soient considérées paraphrastiques ou non) ont la même structure de sélection, c'est-à-dire qu'elles sont reliées par une transformation telle que Harris l'a définie. Chomsky propose de dériver la structure de surface de toutes les phrases partageant un même invariant sélectionnel à partir d'une même représentation en constituants immédiats, appelés la base. Ainsi, il faut noter que les transformations, dès les premiers travaux de Chomsky, sont conçues comme un complément à la

description en constituants immédiats et non comme un remplacement
de cette structure. Cette prise de position de Chomsky apparaît
dans Transformational Analysis et, d'une façon plus nette encore,
dans Structures syntaxiques.

d. Structures Syntaxiques a été la source d'inspiration dans le développement extraordinaire de la grammaire générative dans les années
qui suivirent sa publication. Cet ouvrage contient la substance de
Transformational Analysis et de Three Models for the Description of
Language. Dans ce dernier travail, Chomsky applique d'une façon systématique, apparamment pour la première fois, la théorie des automates à la description de faits linguistiques. Il démontre d'abord
que les automates les plus simples qu'on ait cherché à appliquer
à la linguistique, les automates à états finis, sont incapables de
par leur structure même de rendre compte de la complexité des langues
naturelles. Il considère ensuite les systèmes de règles de réécriture indépendantes du contexte. Il souligne cette fois le fait que,
si ces systèmes (qui sont une formalisation adéquate de la structure
en constituants immédiats) peuvent décrire les structures superficielles des phrases d'une langue, ils ne peuvent rendre compte de
toutes les relations qu'on peut observer entre les phrases. Il propose de ne décrire au moyen des structures de constituants immédiats
que les structures des phrases les plus simples d'une langue, et de
dériver les structures des autres phrases par des opérations qui, appliquées à des structures de constituants immédiats, produisent d'autres structures du même type: ces opérations, qu'il appelle transformations, sont cependant très différentes des transformations définies pas Harris. Pour Chomsky, le rôle des transformations est de
produire les structures syntaxiques propres à une langue, avec comme
point de départ des objets abstraits, qui sont définis par un système de
règles de réécriture indépendantes du contexte, et contiennent toute
l'information requise pour ces opérations. Ceci est évident dans le

traitement fourni, par exemple, de la structure du verbe anglais dans le chapitre 2 de Structures syntaxiques. On dirait que la question posée au départ fut la suivante: "la structure de constituants immédiats permet de représenter bien des faits syntaxiques. Mais il y a des manques. Quel outil auxiliaire peut-on utiliser pour améliorer cette situation?" Il n'était donc pas question d'évaluer la pertinence de la structure en constituants immédiats. Au contraire, ce type de structure recevait une large extension puisqu'on s'en servait pour décrire des objets abstraits à partir desquels les phrases réelles seraient dérivées.

2. Un modèle génératif transformationnel

a. L'organisation du modèle proposé par Chomsky dans Structures syntaxiques apparaît alors comme suit. La composante de base est formée d'un système de règles de réécriture indépendantes du contexte qui spécifient un ensemble de structures de base. Bien que ces structures de base soient semblables en plusieurs points à la structure en constituants immédiats de phrases simples, elles se distinguent cependant de ces dernières. Par exemple, considérons la structure de la phrase

(1) *Marie avait choisi Jean*

En (a), on a la structure de constituants immédiats et en (b) la structure de base correspondante.

Des transformations facultatives s'appliquent à ces structures de base, c'est-à-dire que l'organisation structurale peut être modifiée sans que les relations de sélection entre les divers constituants soient perturbées. Par exemple, on pourrait obtenir de cette façon à partir de (b) une structure sous-jacente qui correspondrait à la phrase *Jean est celui que Marie avait choisi.*

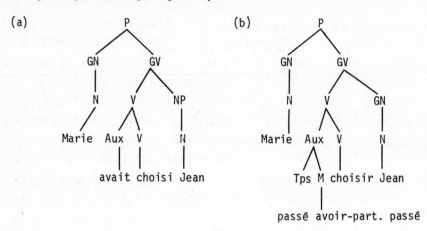

b. Il y a également un certain nombre d'opérations obligatoires qui servent à produire des structures de phrases à partir des structures sous-jacentes. Par exemple, des opérations de ce genre fournissent la structure (a) si on les applique à la structure (b); d'autres opérations enchâssent une structure de phrase dans une autre en remplaçant un symbole postiche, comme dans *je sais X + Marie avait choisi Jean → je sais que Marie avait choisi Jean*, où le *X* a été remplacé par la seconde structure de phrase.

3. Conséquences quant à la notion de transformation

a. Nous avons déjà noté que, dans les travaux de Chomsky, les transformations étaient vues comme complémentaires de la structure de constituants immédiats. Il est important de se rendre compte que dans cette optique, les structures de constituants immédiats et les transformations prennent une signification profondément différente de celle qu'elles avaient ailleurs. Les transformations correspondaient initialement à des invariants sélectionnels entre phrases (TS dans la figure). La réinterprétation générative introduit des opérations (TM) qui sont des applications de structures abstraites

(SA) sur des structures de phrases (P). Si deux phrases P_1 et P_2 sont dérivables d'une même SA par deux chemins transformationnels

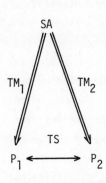

TM_1 et TM_2 (le choix entre ces deux chemins est représenté par les TM facultatives), alors les propriétés communes à P_1 et P_2 doivent se trouver dans SA. Entre autres, l'invariant sélectionnel exprimé par TS se trouve maintenant rendu par la structure de constituants SA. Il faut donc interpréter la structure de constituants immédiats d'une façon toute différente dans les structures de base et dans l'organisation de surface de la phrase. Au niveau de la structure de base, elle représente des relations de sélection tandis qu'au niveau des structures de surface, elle représente des relations d'ordre. D'autre part, les transformations apparaissent comme des opérations pour la <u>création</u> de l'ordre superficiel. Ainsi les transformations facultatives créent des variantes d'ordre qui correspondent à l'invariant de sélection sous-jacent SA alors que les transformations obligatoires imposent aux phrases l'ordre requis dans une langue particulière. Nous voyons que les rôles de la structure de constituants immédiats et des transformations ont été modifiés si on les compare à ce qu'ils étaient dans le modèle utilisé au départ par Harris. Dans ses modèles suivants, Harris a éliminé l'utilisation de la structure de constituants immédiats pour la remplacer par un système d'opérateurs capable de rendre compte à la fois des propriétés de sélection et des propriétés d'ordre.

b. Les transformations de Chomsky requièrent naturellement une forme de représentation différente de celle qui convenait aux transformations de Harris. Alors que celles-ci étaient des relations entre des chaînes, celles de Chomsky sont des fonctions qui appliquent des classes d'arbres sur des classes d'arbres. Ainsi, la formulation d'une transformation comporte d'abord une description structurale qui représente la classe des arbres auxquels une transformation peut (ou, si elle est obligatoire, doit) s'appliquer. Une description structurale est une chaîne de symboles dont chacun est une étiquette possible pour un noeud de l'arbre. On dit d'un arbre qu'il satisfait la description structurale si nous pouvons y trouver, en le traversant de gauche à droite, les étiquettes données dans la description structurale (dans le même ordre), et si chaque noeud terminal de l'arbre est dominé par exactement un de ces symboles. Par exemple, la description structurale ABCD est satisfaite par l'arbre (a) mais ne l'est pas par les arbres (b) et (c).

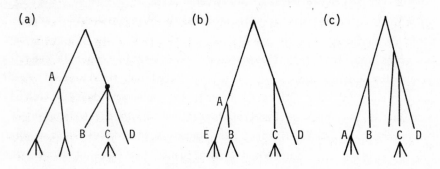

(a) (b) (c)

La description de l'action de la transformation consiste en une autre description structurale qui comporte les mêmes étiquettes et parfois certaines constantes. Le sous-arbre dominé par une étiquette suit le sort de cette étiquette dans la transformation. Par exemple, la transformation ABCD → ACBD appliquée à l'arbre (a) produit l'arbre (d).

(d)

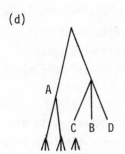

Les transformations de Chomsky diffèrent de celles de Harris surtout par le fait que les descriptions structurales qu'elles comportent peuvent faire référence à la hiérarchie des constituants. Par exemple, l'arbre (b) peut se décrire [EB]$_A$CD. Il s'agit là d'une nouvelle dimension introduite dans la description, qui n'apparaissait pas dans la description par chaînes chez
Harris.

4. Unification: structure profonde généralisée

La tendance à peine perceptible dans Structures syntaxiques
se développe progressivement au cours des années suivantes: en particulier, la théorie de départ comportait des transformations binaires (ou généralisées) qui effectuaient différentes sortes de combinaisons de phrases (enchâssements et conjonctions). Ces opérations
dépendaient de marqueurs spécifiques (et étaient donc obligatoires
quand ces marqueurs étaient présents), mais les effets provoqués ap-
paraissaient très différents des changements purement mécaniques produits par les autres transformations obligatoires (surtout en ce qui
concerne l'interprétation sémantique). La solution qui fut proposée
dans Aspects de la théorie syntaxique, et qui fut finalement adoptée
par la majorité, consistait à utiliser un système de règles récur-
sives indépendantes du contexte, qui permettait de générer les phrases
enchâssées ou conjointes dans la composante de base.

De plus, on élimina les transformations unaires facultatives. Pour décider quelle représentation de surface serait obtenue,
on introduisit au niveau de la structure profonde de nouveaux symboles abstraits fonctionnant comme déclencheurs de transformations.

Toute l'information syntaxique est ainsi contenue dans la composante de base, c'est-à-dire qu'elle comprend les propriétés de sélection (voir la section suivante) et les structures d'ordre (les symboles déclencheurs qui provoquent l'application de transformations spécifiques).

On constate rapidement que ce nouveau type de structures profondes contient non seulement toute l'information syntaxique mais également toute l'information sémantique de la phrase. Cela conduit à la formulation de la première théorie sémantique associée à une syntaxe générative transformationnelle.

5. Représentation de la structure de sélection

La structure de sélection correspond à des relations de contrainte entre les choix dans certaines positions d'une phrase et les choix dans d'autres positions. Par exemple, dans *Jean voit le chat*, le choix *voit* impose la condition que le nom dans la première position soit animé et que le nom de la dernière position soit concret. Les mêmes contraintes s'appliquent cependant à différentes positions dans *le chat est vu par Jean*. C'est d'ailleurs ce qui nous a conduits à dire dès le début que la structure de sélection ne pouvait se réduire à la structure d'ordre. L'introduction de la structure profonde revient à établir une forme standard de présentation des matériaux de la phrase, de telle sorte que les relations sélectionnelles puissent être calculées systématiquement dans cette forme standard. Le choix d'une représentation en constituants immédiats pour remplir ce rôle est un accident historique, et d'autres représentations sont possibles; nous avons déjà vu que les stemmas de Tesnière fournissent une représentation simple. La grammaire de cas formulée par Fillmore constitue également une représentation simple.

Les positions relatives des constituants dans une structure profonde en constituants immédiats sont interprétées par Chomsky
comme représentant ce que les grammaires traditionnelles et, plus explicitement, Jespersen, appelaient fonctions grammaticales. Par exemple, le _sujet_ d'une phrase P est le GN immédiatement dominé par ce P,
un _objet_ d'un GV est tout GN immédiatement dominé par ce GV, etc.

Dans le but de représenter les contraintes particulières
qu'un constituant impose à un autre, Chomsky propose l'utilisation
de deux sortes de traits qui spécifient, pour chaque élément lexical,
d'une part les contraintes qu'il impose au contexte, d'autre part
ses propriétés inhérentes. S'il n'existe aucune contradiction entre
les contraintes établies pour chaque élément et ses propriétés, les
phrases qui en résulteront seront acceptables. Dans le cas contraire, la structure sera rejetée ou tout au moins considérée comme douteuse.

6. Extensions

a. On s'est rapidement posé la question de la position de la syntaxe
générative transformationnelle dans un schéma général de la description du langage. De rapides progrès permirent très tôt de connecter
les composantes syntaxiques et phonologiques dans un tel schéma; il
était plus difficile de voir comment rattacher une description sémantique à un système génératif.

Les premières tentatives ont consisté à donner une _inter-
prétation sémantique_ à la structure syntaxique des phrases. Le principe était de construire une représentation appropriée du sens
d'une phrase à partir de certains aspects de sa structure syntaxique.
Dans le cadre de _Structures syntaxiques_, les structures de base et
les transformations pouvaient toutes deux contenir de l'information

pertinente. Une interprétation sémantique requérait donc une prise
en charge de ces deux composantes. Cependant, si l'on suggérait d'é-
crire toute l'information dans les structures de base, il suivait,
bien sûr, que toute l'information sémantique se trouvait à ce niveau: la structure de base devint alors la seule composante suscep-
tible de recevoir une interprétation sémantique.

b. Certains linguistes ont alors suggéré qu'il n'y avait plus aucune raison de considérer les structures profondes comme des objets de
nature purement syntaxique. En particulier, toute interprétation sémantique construite à partir d'une structure profonde par des opérations systématiques pourrait être prise comme base; pour ce faire,
il suffit d'inverser ces opérations systématiques et de construire
la structure profonde à partir de l'interprétation sémantique.
C'est de cette façon qu'apparut la tendance appelée sémantique générative. Les principaux arguments invoqués pour une sémantique générative sont:

   1° les traits de sélection, qui forment une partie importante de la structure profonde, sont de nature essentiellement sémantique;

   2° les règles d'interprétation sémantique ont essentiellement la même forme que les transformations[2].
Il n'y a donc plus de raison d'isoler les "structures syntaxiques
profondes" comme une étape distincte entre la description sémantique et la description des structures syntaxiques de surface.

c. Le rôle des structures profondes en syntaxe fait donc maintenant
l'objet de vives controverses. Il est utile d'indiquer certains aspects du problème. La principale question est de savoir si l'on nie
la possibilité d'une description syntaxique autonome, qui était le
but déclaré de Chomsky dans Structures syntaxiques.

---

2. Voir au bas de la page 172.

De ce point de vue, il convient d'établir une comparaison avec la description phonologique. Le point de départ d'une description phonologique est une représentation sous-jacente composée de lexèmes (notés, par exemple, par des matrices de traits distinctifs) et de marques abstraites résumant l'information syntaxique pertinente au processus phonologique (tels que les marqueurs de frontières de constituants). De la même façon, on pourrait s'attendre à ce qu'une description syntaxique prenne comme point de départ une représentation sous-jacente comportant, entre autres, l'information sémantique pertinente au processus syntaxique, c'est-à-dire la structure de sélection qui manifeste au niveau de la syntaxe certaines relations, mais pas nécessairement toutes les relations sémantiques.

La confusion présente semble être apparue quand des chercheurs ont suggéré que les phrases dérivées d'une même structure sous-jacente devaient être paraphrastiques, c'est-à-dire avoir le même sens. Il est évident que c'était détourner l'intention première des structures profondes puisqu'elles ne devaient représenter que les invariants sélectionnels. Si l'on pose que les "transformations conservent le sens", on doit accumuler dans la structure profonde toutes sortes de renseignements en plus de l'information purement sélectionnelle. Il est alors justifié de dire que la description syntaxique autonome a été transcendée et de défendre le point de vue de la sémantique générative. Il faut alors s'interroger sur la propriété d'utiliser un formalisme élaboré au départ pour des considérations purement syntaxiques. Si, comme le suggère Chomsky, les fonctions "logiques" sont équivalentes à des positions dans la structure profonde, et si cette structure profonde, que l'on comprend maintenant comme sémantique, est une structure de constituants immédiats (qui nécessite une classification catégorique des éléments), on en revient à une interprétation de la structure de l'expression en termes de notions sémantiques, exactement de la même façon que dans la

grammaire traditionnelle. La seule différence réside dans l'inter-
position d'un processus de dépendance, plutôt complexe mais entièrement déterministe, entre la structure sémantique et la représentation
de surface.

Textes de référence

Chomsky (1957), chapitre 5
Chomsky (1965), chapitres 2 et 3
Harris (1970)
Hockett (1958)
Katz et Postal (1964), chapitre 3

---

2. Cet argument présuppose une position "transformationnaliste"
   (cf. Chomsky (1968)). Les "transformationnalistes" pensent
   qu'on peut, dans tous les cas, dériver par des transformations
   une expression comme *les dépenses de Pierre* d'une phrase comme
   Pierre dépense X. Les "lexicalistes", au contraire, pensent que
   de telles relations n'ont pas la régularité morphosyntaxique des
   transformations, et ne peuvent être décrites adéquatement que
   dans une composante d'interprétation sémantique distincte de la
   syntaxe.

SUJETS DE REFLEXION

1. Comment s'interprète la notion d'acceptabilité par rapport à la structure en constituants immédiats et par rapport à la structure sélectionnelle ?

2. Qu'entend-on par :
   - modèle génératif
   - modèle transformationnel
   - modèle génératif et transformationnel

3. Il n'y a aucune différence "sémantique" entre

		VRAI	FAUX
et	*le chien semble avoir faim* / *il semble que le chien a faim*	☐	☐
et	*je connais une jolie fille* / *je connais une fille de jolie*	☐	☐
et	*le toit dégouline d'eau sale* / *de l'eau sale dégouline du toit*	☐	☐

4. Les déclencheurs de transformations comme la <u>négation</u>, l'<u>interrogation</u>, l'<u>impératif</u> sont-ils d'ordre syntaxique ou d'ordre sémantique ?

5. Vérification de règles génératives et transformationnelles du français à partir d'un choix d'exemples.

13

LA GRAMMAIRE STRATIFICATIONNELLE

1. La notion de niveau : historique

a. Nous avons vu que, dès le début des études de grammaire, les
chercheurs avaient trouvé utile de distinguer divers ordres de régularité dans le langage. La distinction la plus évidente, remarquée
par Aristote (et implicite dans le principe alphabétique), apparaît
entre l'organisation d'unités sonores non significatives et celle
d'unités sonores significatives; plus tard, suivant Saussure,
Hjelmslev formalise cette distinction entre les cénèmes (figures de
l'expression) et les plérèmes (face expression des signes). On a
observé très tôt qu'à chacun de ces aspects du langage était ratta-
chée une organisation propre qui était presque indépendante de l'autre[1].

---

1. Cette remarque constitue un aspect de ce que Saussure appelle
   l'"arbitraire du signe linguistique".

C'est à partir de ces considérations que surgit l'idée de diviser la difficulté de l'analyse linguistique en séparant la description du matériel sonore de celle des unités significatives. C'est ainsi que s'est fait le développement de la phonologie en un domaine d'étude indépendant. On isole deux sortes de relations entre les unités phonologiques. Les relations paradigmatiques marquent le caractère distinctif des unités et les relations syntagmatiques correspondent aux contraintes imposées aux combinaisons de ces unités.

À partir des relations paradigmatiques, on peut inférer et énoncer les différences distinctives qu'elles expriment: d'où la notion de trait distinctif, d'abord apparue en phonologie et surtout dans les travaux de l'école de Prague. Les linguistes de cette école cherchaient ainsi à donner une expression systématique au slogan de Saussure: "Dans la langue, il n'y a que des différences". Ultérieurement, la même approche a été appliquée aux éléments du contenu.

b. Le domaine des unités significatives s'avère plus difficile à analyser et à décrire que celui des sons distinctifs[2]. Quand des linguistes, et surtout les Américains, ont essayé de donner une extension à leur méthode d'analyse dans ce domaine, ils eurent tôt fait de constater qu'il fallait encore le subdiviser. Les paradigmes de morphèmes (c'est-à-dire les classes de morphèmes) ne constituaient pas les éléments idéaux pour l'énoncé des structures de phrase. On avait à distinguer entre les morphèmes et les constructions de morphèmes, ce qui revient en gros à établir les domaines de la morphologie et de la syntaxe.

---

2. Martinet a d'ailleurs fait d'intéressantes observations à ce sujet.

Au cours de l'examen de ces problèmes, la notion de niveau s'éclaire et on voit apparaître de nombreuses tentatives de formalisation. On peut résumer les diverses propositions comme suit.

Un niveau est une collection d'unités linguistiques qui sont reliées de deux façons différentes. D'une part, elles font ressortir des relations paradigmatiques ou, d'une façon plus générale, ce que Saussure appelle des relations <u>in absentia</u>. Il est parfois possible de représenter ces relations par des traits qui rendent compte du caractère distinctif des unités: par exemple, au niveau morphologique, la propriété d'être un <u>nom</u> ou, au niveau des constructions, la propriété d'être un (syntagme) <u>adverbial</u>.

D'autre part, les unités d'un niveau font voir également des relations syntagmatiques (généralisées) par le fait qu'il y a des contraintes imposées à leur cooccurrence. Divers moyens de décrire ces relations ont été proposés, comme les formules de la structure de constituants, les formules de chaînes, les règles de réécriture; il existe entre ces diverses notations, comme nous l'avons vu, des relations systématiques (qui ne sont pas encore toutes élucidées).

2. <u>La bonne forme d'un niveau: règles tactiques</u>

Une combinaison d'unités d'un niveau particulier qui satisfait toutes les contraintes de cooccurrence caractéristiques de ce niveau est dite <u>bien formée</u>. La notion de bonne forme, empruntée à la théorie des systèmes formels, doit être clairement distinguée de celles d'acceptabilité, de signification et d'autres notions du genre. En particulier, cette notion doit être considérée comme relative à un niveau donné. L'exemple le plus simple de bonne forme se trouve, encore, dans la théorie phonologique, qui prédit que *rimeau* est un mot possible du français bien que ce n'en soit évidemment pas un. Ce qui nous permet de dire que *rimeau* est bien formé, c'est-à-dire un mot en puissance du français, est qu'il n'y a aucune raison de principe d'exclure un tel mot: en d'autres termes, les régularités observables des sons du français s'appliquent toutes (à vide ou non) à *rimeau*. On pourrait utiliser ce mot nouveau pour désigner un concept nouveau tel que "poussière volcanique lunaire" ou "petite vallée sous-marine".

Cette notion de bonne forme a été expliquée par Chomsky, pour la syntaxe, sous le nom de "grammaticalité"; en fait, cette notion s'applique à n'importe quel niveau.

On peut généraliser la notion de syntaxe (dans son sens restreint) pour l'appliquer à n'importe quel niveau de description. Les règles utilisées pour décrire la bonne forme d'un niveau donné s'appellent règles tactiques. Elles sont en principe indépendantes des choix particuliers effectués pour des raisons de communication et ne font qu'imposer des contraintes quant à ce qui est possible au niveau considéré.

3. Correspondance entre les niveaux

Si l'on veut décrire une langue comme un tout, il n'est évidemment pas suffisant de décrire chaque niveau isolément. On doit aussi décrire les relations entre les divers niveaux de bonne forme. C'est ce que l'on essaie de faire quand, par exemple, on cherche dans une chaîne de phonèmes particulière la trace des morphèmes qui lui seront associés. Ce problème a été l'un des plus difficiles que les linguistes descriptivistes aient abordé. En particulier, il est évident au départ que la trace d'un morphème n'est pas nécessairement une chaîne de phonèmes. Par exemple, en considérant les régularités syntaxi-

ques, on s'aperçoit que *went* (pour l'anglais) doit être compris (au
niveau morphologique) comme composé des morphèmes *go* et *past*; la chaîne de phonèmes /want/ ne révèle rien qui ressemble aux corrélats phonémiques habituels de ces deux morphèmes. En d'autres mots, l'isomorphisme entre les niveaux morphologique et phonologique, bien que
très étendu, n'est pas total.

Il est donc nécessaire d'énoncer la correspondance entre
deux niveaux donnés en termes de règles, qui ne seront ni syntagmatiques ni paradigmatiques mais définiront comment des unités d'un
niveau donné se manifestent à un autre niveau. Ce sont les règles
de réalisation. On peut les concevoir comme un dictionnaire entre
niveaux, puisqu'elles représentent l'aspect arbitraire de la correspondance entre des types d'unités différents. En d'autres termes,
il est possible d'énoncer ces règles comme des liens entre deux
niveaux adjacents dans une hiérarchie.

4. Du son au sens. Du sens au son

a. La description d'une langue apparaît donc, dans une telle conception, comme un empilement de niveaux liés les uns aux autres par des
règles de réalisation, chacun de ces niveaux ayant une structure interne exprimée par des règles tactiques. À cause de leur structure,
de tels modèles sont appelés grammaires stratificationnelles. Une
de leurs caractéristiques est qu'ils se présentent comme une correspondance systématique entre le son et le sens, les unités minimales
de son constituant un des niveaux de bout, tandis que l'autre bout
est occupé par les éléments ultimes du sens (quels qu'ils puissent
être).

Sidney Lamb a essayé de relier un tel modèle à la théorie de Hjelmslev, et sa tentative est particulièrement intéressante. Il établit d'abord un parallèle entre la notion de niveau définie précédemment et la notion de plan chez Hjelmslev. Ainsi donc, il y aurait dans la théorie de Hjelmslev un niveau du contenu et un niveau de l'expression. Il démontre ensuite que certaines des régularités de la langue n'appartiennent à aucun de ces deux niveaux. Par exemple, alors que *understand* et *withstand* ne sont pas reliés systématiquement à *stand* quant à leur contenu, ils forment leur passé de la même façon. On devrait donc dire, du point de vue morphémique, que le morphème *stand* fait partie de leur réalisation alors que ce n'est absolument pas le cas du point de vue de leur contenu. Pour Lamb, de telles difficultés doivent se résoudre à un certain niveau intermédiaire; de fait, il devrait y avoir un nouveau niveau pour chaque nouvelle sorte de divergence observée entre le contenu et l'expression. Cet argument est une extension de celui qui a conduit à l'élaboration d'un niveau morphophonémique. Lamb apparaît donc comme un des fervents d'une approche strictement item et arrangement.

b. La formulation de Lamb constitue une hypothèse formelle sur la relation entre le contenu et l'expression, dont les buts sont similaires à ceux des hypothèses groupées sous le terme sémantique générative. Une comparaison de ces deux modèles fait ressortir les différences entre les paradigmes item et arrangement et item et processus. Ceci apparaît en particulier dans les conceptions de la relation entre le sens et le son représentée par chacun de ces deux modèles.

La sémantique générative considère des configurations sonores comme dérivées de constructions sémantiques (forme du contenu) par des processus qui sont tous de la même nature: ils consistent essentiellement dans des modifications de la structure (par addition,

permutation ou élision). Certaines de ces modifications sont idiosyncratiques, et sont groupées dans le lexique. D'autres sont très
générales et forment l'essentiel des règles syntaxiques et phonologiques. La philosophie qui sous-tend la sémantique générative est
centrée sur l'idée que la notion de niveau est vide de sens. Cependant, la phonologie est habituellement reconnue comme différente de
la syntaxe, et, jusque très récemment[3], on n'avait pas produit
d'exemple clair de la nécessité de combiner les deux (théoriquement,
il serait possible d'observer des processus phonologiques s'appli-
quant avant que toutes les substitutions lexicales aient eu lieu).

La grammaire stratificationnelle, elle, présente une vue
essentiellement statique de la relation entre le contenu et l'expression. En fait, dans la formulation de Lamb, les "items" eux-mêmes
disparaissent, et il ne nous reste plus que les arrangements; d'une
façon plus précise, Lamb ne reconnaît aucune espèce d'éléments linguistiques intermédiaires entre le sens et le son mais uniquement
des réseaux de relations. C'est de cette façon que sont explicitées
les potentialités d'expression d'une langue. On pourrait donc dire
que la sémantique générative nous donne une présentation de l'aspect
dynamique d'une langue (ce que Hjelmslev appelle l'usage) alors
que la grammaire stratificationnelle est plus appropriée pour la représentation du schéma, ou structure statique, d'une langue. Ni l'un
ni l'autre de ces modèles cependant n'est capable de représenter la
totalité d'une langue: en résumé, la sémantique générative comprend
des règles qui assignent une chaîne phonologique particulière à une
forme de sens particulière, alors que la grammaire stratificationnelle consiste dans un énoncé des relations qui peuvent exister entre

---

3. Voir Bresnan (1971a et 1971b).

des éléments sémantiques et des éléments phonologiques. Un tel énoncé est <u>implicite</u> dans les règles de la sémantique générative; inversement, l'attribution d'une structure à des objets particuliers devrait résulter de l'<u>emploi</u> de l'énoncé stratificationnel.

5. <u>Notation</u>

a. Pour énoncer les relations complexes entre les éléments d'un même niveau (les relations intrastatales) ou entre deux niveaux (les relations interstratales), Lamb a élaboré une notation graphique. La maîtrise de cette notation (qui implique la compréhension des principes stratificationnels) est à la base d'une description réussie. Les deux sortes de relations correspondent à deux sortes de formes graphiques, les patrons tactiques et les patrons de réalisation.

Chaque relation est représentée par un noeud; il y a huit types de noeuds qui se distinguent selon trois oppositions binaires. Une relation qui implique un seul élément de niveau supérieur (c'est-à-dire du côté du sens) et plusieurs éléments d'un niveau inférieur s'appelle <u>descendante</u>; le type opposé est <u>ascendant</u>. L'opposition <u>et/ou</u> distingue entre les relations "in praesentia" (<u>et</u>) et les relations "in absentia" (<u>ou</u>). La propriété <u>ordonnée/non ordonnée</u> est associée de près à <u>et/ou</u>. L'ordre <u>et</u> est une organisation temporelle: il concerne l'ordonnancement linéaire du discours. L'ordre <u>ou</u> est affaire de priorité, semblable à l'ordre disjonctif utilisé dans les grammaires génératives. Par exemple, considérons encore la formation du passé des verbes en anglais: les éléments sémantiques /GO/$_S$ et /PAST/$_S$ se combinent en un seul élément morphémique /WENT/$_M$, qui est lui-même réalisé par une certaine suite de phonèmes. Nous représenterons donc la combinaison de /GO/$_S$ et /PAST/$_S$ par un <u>et ascendant non ordonné</u>. La ligne unique qui en émerge vers le bas est <u>la seule</u> représentation de /WENT/$_M$. Elle mène à un <u>et descendant ordonné</u> d'où émergent (vers le bas) les lignes spécifiant les phonèmes utilisés, dans l'ordre requis (puisqu'il est ici significatif).

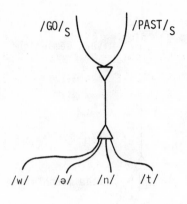

Ce schéma (ainsi que le suivant) est
une simplification outrancière. En
plus d'ignorer les complexités locales,
nous avons pris la liberté d'ignorer la
terminologie des divers niveaux et de
la remplacer par les termes passe-par-
tout sémantique, morphémique, phonémique. L'objectif est uniquement d'illustrer la structure essentielle du modèle
de Lamb à travers les principes de notation.

En fait, les phonèmes qui forment les étiquettes rattachées
aux lignes du bas ne sont là que pour l'illustration; dans un patron
complet, les lignes ne seraient pas étiquetées: elles conduiraient
simplement à des et descendant non ordonné spécifiant les traits
(simultanés) de ces phonèmes. Comme on l'a vu, Lamb prend très au
sérieux l'idée que seules les relations comptent et que les éléments
ne sont rien d'autres que les intersections de ces relations (dans
ses diagrammes, les lignes qui relient les noeuds). Si nous poursui-
vons l'analyse du même exemple, nous observerons que /GO/$_S$ et /PAST/$_S$
peuvent apparaître dans d'autres combinaisons, où ils seront réalisés
de manière très différente. Par exemple, si on le combine avec /JUMP/$_S$,
/PAST/$_S$ se réalisera en fin de compte dans le phonème /t/. Il y a
toutefois une régularité intermédiaire (celle des "verbes réguliers"
anglais). On représentera cette régularité par le "morphophonème"
/D/$_{MP}$, qui est la réalisation de /PAST/$_S$ lorsqu'aucune autre n'est
requise: en d'autres termes, c'est le dernier élément d'un ou descendant ordonné. Dans la notation graphique:

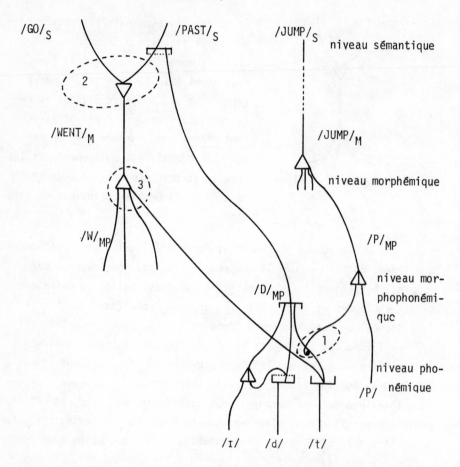

On voit également ici que /D/$_{MP}$ se réalise de plusieurs manières, selon l'environnement. On a représenté, en 1 sur la figure, le conditionnement de la réalisation /t/ par le morphophonème /P/$_{MP}$ présent dans la réalisation de /JUMP/$_M$.

b. L'exemple précédent illustre deux types de patrons : le patron de <u>signe</u> et le patron d'<u>alternance</u>, qui décrivent des aspects de réalisation d'une langue. Par exemple, le <u>et ascendant</u> marqué 2 dans

le diagramme fait partie d'un patron d'alternance, ainsi nommé parce
qu'il représente la sorte de phénomène appelé alternance en linguistique structurale (c'est-à-dire que /PAST/$_S$ a plusieurs réalisations
possibles, qui sont déterminées par le contexte). Le et descendant
marqué 3 fait partie d'un patron de signe, qui indique la structure
du signe pour /WENT/$_M$ en termes d'unités du niveau inférieur.

À ces deux types de patrons s'en ajoutent deux autres. Le
patron tactique qui, comme nous l'avons vu, spécifie la bonne forme
d'un niveau. Ce patron est greffé sur la partie réalisation d'une
description, entre un patron d'alternance et un patron de signe.
(Dans notre cas entre 2 et 3 par exemple.) Cette greffe est appelée
patron d'attache, et représente l'interaction entre la bonne forme
et la signification: par exemple, un choix particulier d'une construction bien formée, lorsque plusieurs sont possibles, peut être la
réalisation d'une unité d'un niveau supérieur (par exemple la relation d'agent entre *Jean* et *mange* dans *Jean mange la pomme*). À l'inverse, un aspect particulier du patron tactique peut nécessiter un
"marquage" en termes d'unités de niveaux inférieurs (par exemple dans
les cas d'accord entre certaines parties de la construction).

6. La tagmémique et la grammaire stratificationnelle

Il est intéressant de noter une ressemblance dans l'approche entre la tagmémique de Pike et le modèle stratificationnel de
Lamb. On devait s'y attendre puisque tous les deux, en fin de compte,
fonctionnent dans la tradition item et arrangement. Le parallèle est
assez fort pour qu'on puisse le spécifier : le mode distribu-
tionnel est relié de très près au patron tactique, le mode des
traits au patron du signe et le mode des manifestations au patron de
l'alternance. Une telle ressemblance invite à une analyse plus fouil-

lée. Cette recherche devrait conduire à des résultats très intéressants. En particulier, des chercheurs ont récemment proposé des
moyens d'incorporer les aspects les plus utiles d'une grammaire transformationnelle dans un cadre tagmémique. Si on pouvait établir clairement les correspondances entre les modèles tagmémiques et stratificationnels, ceci devrait conduire à une théorie linguistique plus
large où les avantages respectifs des grammaires stratificationnelles
et transformationnelles seraient incorporés pour la description du
schéma et de l'usage. De plus, la grammaire stratificationnelle, qui
présente un système de notation très simple, semble, comme Lamb l'indique lui-même, se prêter à une application bien au-delà du domaine
des langues pour convenir à tous les aspects du comportement téléo-
nomique, pour l'étude duquel Pike a construit sa théorie.

Textes de référence

Lamb (1962), chapitres 1 et 2
Lockwood (1972)
Lyons (1970), p. 7 à 28

SUJETS DE RÉFLEXION

1. Représentez d'une façon schématique ce qu'est une **relation** dans la théorie stratificationnelle ?

2. a) À partir de quelles considérations dit-on que "Lamb est un des fervents d'une approche strictement **item** et **arrangement** ?"

   b) Puis, comment expliquer que "dans la formulation de Lamb, les 'items' eux-mêmes disparaissent, et il ne nous reste plus que les arrangements" ?

3. Montrez les ressemblances entre le tagmème et les éléments stratificationnels du même niveau.

4. Illustrez par quelques exemples du français les notions
   - <u>et ascendant</u>
   - <u>et descendant</u>
   - <u>ou ascendant</u>
   - <u>ou descendant</u>

5. Comment s'effectue, par exemple, le texte d'un paragraphe, l'analyse stratificationnelle de ce texte ?

14

SYNTAXE ET SÉMANTIQUE

FORME ET FONCTION

1. Règles de bonne forme et règles fonctionnelles

a. L'assertion de Lamb que son modèle stratificationnel réalise les objectifs théoriques de Hjelmslev nous ramène à l'un des principaux points de la linguistique théorique: celle de l'isomorphisme entre le contenu et l'expression ou, en d'autres termes, des relations entre syntaxe et sémantique.

Hjelmslev indique que l'étude du contenu et celle de l'expression doivent être conduites selon les mêmes principes, sans toutefois conduire nécessairement à des descriptions isomorphiques: il y a certes d'importantes divergences entre la forme de l'expression et la forme du contenu, ne serait-ce que parce que l'expression, comme Martinet le faisait remarquer, est dans l'ensemble réduite à être linéaire. Le seul type d'isomorphisme auquel on puisse s'attendre serait

alors un isomorphisme des métalangages de l'expression et du contenu
(un "métaisomorphisme").

Nous sommes donc loin de l'idée que la syntaxe reflète
l'"ordre naturel de la pensée" d'une façon simpliste. Plusieurs linguistes ont essayé de préciser la relation entre la syntaxe et la sémantique d'une façon plus plausible. Comme nous l'avons vu, Tesnière
distingue entre l'ordre sémantique et l'ordre structural mais incline
à penser que ces deux ordres n'en sont pas moins très rapprochés. La
notion de fonction chez Martinet se résume dans l'organisation de la
syntaxe à partir de principes sémantiques assistés de critères formels. Les premières tentatives de Chomsky furent de traiter la syntaxe indépendamment pour lui donner ensuite une interprétation sémantique - ce qui a conduit à inclure dans la syntaxe des éléments qui
appartenaient en fait à la sémantique: les restrictions de sélection,
par exemple. À l'opposé de cette perspective, on trouve les sémanticiens générativistes qui désirent tout dériver de représentations
sémantiques - refusant ainsi formellement toute autonomie à la
syntaxe. En ce qui concerne les modèles stratificationnels très
élaborés (de Pike, de Lamb, ou d'autres), ils ne confèrent aucune
position privilégiée à la syntaxe parmi les divers niveaux de bonne
forme, ce qui élimine proprement le problème. On peut reprendre cependant toute la question dans des termes plus généraux en se deman-
dant quelles sont les relations qui existent entre la bonne forme du
contenu et la bonne forme de l'expression.

b. Pour être en mesure de répondre à la question ainsi reformulée,
on doit considérer comment chaque théorie propose de traiter ces deux
types de bonne forme. Peu d'entre elles fournissent cependant une
réponse claire. Parmi celles qui le font, on trouve la sémantique
générative et le modèle stratificationnel de Lamb.

Les sémanticiens générativistes assurent que les représentations sémantiques et les représentations syntaxiques sont de la même espèce. Ainsi, ils déclarent effectivement que la bonne forme du contenu et la bonne forme de l'expression peuvent se décrire non seulement à l'aide de métalangages isomorphiques, mais avec un même métalangage. Étant donné un objet particulier défini dans ce métalangage, on n'a pas à se demander s'il s'agit d'une représentation du contenu ou d'une représentation de l'expression. Il suit de leur description en termes de processus qu'il n'y a aucune séparation entre les règles de bonne forme et les règles de correspondance entre diverses espèces d'objets.

Les stratificationnalistes, de leur côté, déclarent que, alors que les conditions de bonne forme à n'importe quel niveau peuvent être notées dans une même forme graphique, elles s'appliquent à des espèces d'objets différentes à chacun des niveaux (si l'on veut bien considérer des objets). Il suit qu'il devient nécessaire de séparer les règles de correspondance entre ces objets des règles tactiques (de bonne forme).

Les théories des deux types ont cependant un important trait en commun. Elles s'occupent des correspondances systématiques entre le contenu et l'expression, en corrélation avec les spécifications de bonne forme. Par construction, elles ne rendent pas compte de l'insertion d'éléments extra-linguistiques dans un acte de communication particulier; en fait, elles ne concernent aucunement les actes de parole. En d'autres mots, ce sont purement des théories de la langue.

Il faut reconnaître que la correspondance entre le contenu et l'expression dépend beaucoup de la forme linguistique. Il y a abus quand on essaie de rendre compte de toute la correspondance à l'intérieur d'une structure linguistique définie à l'avance. Comme

Pike le démontre, toute langue fournit les moyens d'insérer des
éléments extra-linguistiques dans le comportement linguistique, et
vice versa. La description d'une langue devrait donc spécifier ces
moyens et la façon dont ils opèrent.

2. Théories directes et théories médiates

On pourrait distinguer les théories du langage selon qu'elles présentent une correspondance contenu-expression d'une façon déterministe à l'intérieur d'un système purement linguistique (théories "directes") ou qu'elles laissent intervenir des variables extra-
linguistiques dans cette correspondance (théories "médiates").

La plupart des théories structurales se rattachent au type
direct. Cela est révélé de plusieurs façons, par exemple, la notion
de traduction "automatique" d'un texte.

Il y a cependant des exceptions, dont le modèle "means-
ends" proposé par l'Ecole de Prague. Ce modèle constitue en un sens
une extension et un raffinement de l'idée qu'avait Saussure de la
langue comme "système de signes", c'est-à-dire un ensemble d'objets
à deux faces à l'intérieur de chacun desquels la correspondance contenu-expression est indivisible et arbitraire; ces objets entretiennent certaines relations paradigmatiques les uns avec les autres et
sont sujets à certaines contraintes d'ordre syntagmatique. L'emploi
particulier de ces objets est considéré comme rattaché à la parole,
qui exploite les possibilités offertes par le système de la langue.
Il est important de se rappeler que Saussure ne pouvait décider si
la syntaxe appartenait à la langue, et pensait que seules certaines
"constructions stéréotypées" devaient y être incluses.

Ainsi, l'intérêt porté à l'étude de la <u>langue</u> a empêché bien des linguistes européens de se consacrer au développement de la théorie de la <u>parole</u>, à laquelle, pensaient-ils, devrait se rattacher une description explicite complète de la correspondance entre l'expression et le contenu.

Par ailleurs, les linguistes américains ont étudié un domaine un peu plus vaste que celui de la langue (ce que Chomsky appelle <u>compétence linguistique</u>) et ont essayé de le décrire comme un système fermé (dans les théories directes) éliminant ainsi les aspects importants mais extra-linguistiques de ce qu'il est depuis peu convenu d'appeler la "<u>compétence de communication</u>".

3. <u>Langue et parole</u>

a. Il suit de ces considérations que la relation entre le contenu et l'expression comporte au moins deux composantes.

Toute personne qui maîtrise le système d'une langue, soit d'une façon intuitive (comme l'autophone) soit à l'aide de documents (comme lorsqu'on apprend le sumérien ou le latin) dispose en tout temps de la première composante, que l'on peut décrire adéquatement dans un modèle "means-ends" de la langue.

La seconde composante n'est perceptible que dans des actes de parole particuliers. Chaque acte de communication qui utilise la parole implique que le locuteur essaie d'impartir certaines idées à un interlocuteur; pour y arriver, il utilise non seulement les moyens qu'offre leur <u>langue</u> commune (si c'est le cas) mais aussi leur sens (supposé partagé) de la situation et leurs connaissances générales. Dans le travail de déchiffrement d'anciens documents dont la langue est connue, cet aspect provoque souvent des difficultés que seul le philologue peut surmonter avec efficacité en s'aidant de connaissances archéologiques, historiques, etc. Certains aspects de l'usage des locuteurs sont assez récurrents à l'intérieur d'une communauté linguistique: par exemple, certains aspects de la syntaxe qui ne sont pas absolument nécessaires pour induire le sens mais sont d'usage commun dans des circonstances particulières (par exemple, *Jean donne le livre à Marie* semble plus commun que *Jean donne à Marie le livre*, qu'on trouvera toutefois en poésie ou dans des "situations contrastives"). Hjelmslev et Coseriu appellent norme ces aspects communs, par opposition à un système, ou schéma, qui ne comporte que les aspects "nécessaires". La plupart des grammaires descriptives spécifient la compétence linguistique, qui comprend à la fois le schéma et la norme.

b. Ainsi donc, on pourrait dire qu'un modèle "means-ends" est trop étroit parce qu'il ne peut caractériser l'ensemble du comportement linguistique: il n'offre que des potentialités. Ce modèle reste cependant cohérent en ce qu'il ne tente pas de fournir une description complète de la relation entre la syntaxe et la sémantique; il en serait d'ailleurs incapable puisque cette relation porte sur l'ensemble de la compétence de communication.

Un modèle de la compétence linguistique est également trop étroit pour rendre compte des actes de communication. D'un autre côté, l'accent que ce modèle place sur la bonne forme, qui est surtout affaire de norme, rend de tels modèles propres à la description de la norme.

On a cependant besoin d'une troisième composante, que d'aucuns appellent un modèle de la performance, et que d'autres appellent un modèle de la parole, dans lequel on pourrait décrire l'usage fait par les locuteurs des moyens linguistiques et extra-linguistiques, avec un accent particulier mis sur l'interaction de ces deux types de facteurs.

C'est à un tel modèle qu'appartient vraiment la notion de fonction. De fait, dans toute description fonctionnelle, on peut observer que la plupart des unités linguistiques sont ambiguës quant à leur fonction, c'est-à-dire qu'elles peuvent jouer des rôles différents dans différents actes de parole. Il suit que ce n'est que dans l'étude des actes de parole que nous pouvons définir et spécifier d'une façon efficace la fonction d'éléments particuliers de l'analyse, qu'ils soient linguistiques ou extra-linguistiques. Cette dernière considération nous ramène à l'observation de Pike à l'effet que la fonction des éléments de comportement n'est pas déterminée d'abord par son appartenance à un système (linguistique ou extra-linguistique).

4. Universaux

a. La recherche d'universaux a été relancée par les développements récents de modèles de compétence de plus en plus complets et élaborés. On distingue habituellement entre les universaux de substance et les universaux formels. Les universaux de substance concernent les éléments particuliers présents dans chaque système linguistique et appartiennent essentiellement au schéma: de tels universaux ont fait l'objet de recherches depuis longtemps déjà: on peut noter tout spécialement les recherches de Troubetzkof sur les oppositions phonologiques.

Les universaux formels concernent les structures particulières dans lesquels entrent les éléments fondamentaux. La syntaxe est un domaine de prédilection pour de tels universaux (par exemple, les types de transformations) mais Sapir et d'autres ont indiqué des possibilités en morphologie, en sémantique ou en phonologie. Ces universaux sont du domaine de la norme puisqu'ils concernent surtout le domaine des régularités communautaires dans l'utilisation des moyens qu'offre la langue.

b. On pourrait songer à une troisième sorte d'universaux associés cette fois à la parole. Leur nature serait complètement différente de celle des autres universaux puisqu'ils se rapporteraient à la manière dont un individu, placé dans une situation particulière et devant transmettre un message à un interlocuteur, réalise son objectif par l'usage concret des outils qu'offre une langue. On doit s'attendre que de tels universaux apparaissent sous la forme de procédures comportant des paramètres linguistiques et extra-linguistiques; le terme procédure est emprunté au langage des informaticiens, où il désigne une recette pour atteindre un objectif particulier, étant donné certains paramètres et certains arguments. En fait, si de tels universaux de procédure existent, ils devraient révéler certains aspects des facultés et des orientations fondamentales de l'homme. Il est concevable que de tels universaux seront, sinon plus nombreux, du moins plus importants pour la connaissance de la communication humaine que les ressemblances entre les schémas ou les normes de langues particulières décrites par les universaux formels ou de substance. On pourrait même penser que ces derniers universaux apparaîtront comme des conséquences (ou "sédiments") des universaux de procédure, codifiées et préservées dans les différentes traditions linguistiques.

Textes de référence

Coseriu (1967)
Hjelmslev (1969)
Jakobson (1964)

SUJETS DE RÉFLEXION

1. Dans quelle mesure peut-on dire que ce texte rétablit la notion
    de niveaux ?

2. Comment situer la sémantique interprétative par rapport au stra-
    tificationalisme ?

3. D'un point de vue théorique, est-il possible de définir la no-
    tion de norme d'une façon objective ?

4. Énumérez des universaux attestés et répartissez-les selon leur
    type. Y a-t-il des cas de redondance ?

5. Pourrait-on modifier le schéma de Hjelmslev pour y incorporer
    d'autres aspects du langage, comme ceux que nous avons examinés
    dans ce chapitre ?

BIBLIOGRAPHIE

Abréviations

AJPh. : *American Journal of Philology*
BSL   : *Bulletin de la Société linguistique de Paris*
IF   : *Indogermanische Forschungen*
IJAL   : *International Journal of American Linguistics*
JL   : *Janua Linguarum*
MIT   : *Massachusetts Institute of Technology*
MLR   : *Modern Language Review*
MSLL   : *Monograph Series on Languages and Linguistics*
TPS   : *Transactions of the Philological Society*

AKHMANOVA O. et M. GALINE (1969), "The Theory of Syntax in Modern Linguistics", *JL*, 68, La Haye, Mouton.

ARISTOTE (384-322 av. J.-C.), "II De l'interprétation", dans *Organon*, traduction française par J. Tricot, 1959, Paris, Vrin.

- (384-322 av. J.-C.), *Poétique*, traduction française par J. Hardy, 1965, 4e éd., Paris, Les Belles Lettres.

BACH E. (1964), *An Introduction to Transformational Grammars*, Montréal, Holt Rinehart & Winston.

BACH E. et R.T. HARMS, éd. (1968), *Universals in Linguistic Theory*, Montréal, Holt Rinehart & Winston.

BELASCO S. (1964), "Tagmemics and Transformational Grammar in Linguistic Analysis", *Linguistics*, 10 : 5-15.

BENNETT D.C. (1968),"English prepositions : a stratificational approach", *Journal of Linguistics* 4 : 153-172.

BEVER T.G., J.A. FODOR et W. WESKEL (1965),"On the Acquisition of Syntax, a Critique of Contextual Generalization", *Psychological Review,* 72 : 467-482 et 93 : 257-273.

BIARDEAU M. (1966),"Théories indiennes du langage", dans *le Langage*, Actes du XIIIe Congrès des sociétés de philosophie de langue française (Neuchâtel).

BIERWISCH M. (1969), *Modern Linguistics : Its Development, Methods, and Problems*, La Haye, Mouton.

BLOOMFIELD L. (1933), *Language*, Montréal, Holt Rinehart & Winston; traduction française 1970, *le Langage*, Paris, Payot.

BONFANTE G. (1947),"The Neolinguistic Position", *Language,* 23 : 344-375.

BRAINE M.D.S. (1965),"On the Basis of Phrase Structure, a Reply to Bever, Fodor and Weskel", *Psychological Review,* 72 : 483-492 et 93 : 274-284.

BREKLE H.E. (1967),"Die Bedeutung der *Grammaire générale et raisonnée* - bekannt als Grammatik von Port-Royall - für die heutige Sprachwissenschaft", *IF,* 72 : 1-21.

BRESNAN J. (1971a),"Sentence Stress and Syntactic transformations", *Language,* 47 : 257-281.

- (1971b),"Stress and Syntax : a Reply", *Language,* 48 : 326-342.

BROUGH J. (1951),"Theories of General Linguistics in the Sanskrit Grammarians", *TPS,* 27-46.

BROWN R.L. (1967),"Whilhelm von Humboldt's Conception of Linguistic Relativity", *JL,* 65, La Haye, Mouton.

BRUNOT F. (1926), *la Pensée et la langue*, 3e éd., Paris, Masson et Cie.

BURSILL-HALL G.L. (1961), "Levels' Analysis : J.R. Firth's Theories of Linguistic Analysis" (parts I and II), *Journal of the Canadian Linguistic Association*,6 : 124-135 et 164-191.

- (1964),"Mediaeval Grammatical Theories", *Journal of the Canadian Linguistic Association*,9 : 40-54.

CHOMSKY N. (1955),"The Logical Structure of Linguistic Theory" (preliminary draft), Cambridge (Mass.), *MIT*. (Polycopié.)

- (1957), *Syntactic Structures*, La Haye, Mouton; traduction française 1969, *Structures syntaxiques*, Paris, Seuil.

- (1964), *Current Issues in Linguistic Theory*, La Haye, Mouton.

- (1965), *Aspects of the Theory of Syntax*, Cambridge (Mass.), The MIT Press; traduction française 1971, *Aspects de la théorie syntaxique*, Paris, Seuil.

- (1966a),"La notion de règle de grammaire", *Langages*, 4 : 81-104.

- (1966b),"Une conception transformationnelle de la syntaxe", *Langages*, 4 : 39-80.

- (1966c), *Cartesian Linguistics : A Chapter in the History of Rationalist Thought*, New York, Harper & Row; traduction française 1969, *la Linguistique cartésienne; un chapitre de l'histoire de la pensée rationaliste* suivi de *la Nature formelle du langage*, Paris, Seuil.

- (1968a), *Language and Mind*, New York, Harcourt Brace & World; traduction française 1970, *le Langage et la pensée*, Paris, Payot.

- (1968b),"Trois modèles de description du langage", *Langages*,9 : 51-76.

- (1969),"Deep Structure, Surface Structure, and Semantic interpretation", dans D. Steinberg et L. Jakobovits (1971) *Semantics : An Interdisciplinary Reader in Philosophy, Linguistics and Psychology*, New York, The Cambridge University Press.

CHILTON C.W. (1962),"The Epicurean Theory of the Origin of Language", *AJPh.*, 83 : 152-167.

COLLART J. (1960),"À propos des études syntaxiques chez les grammairiens latins", *Bulletin de la Faculté des lettres de Strasbourg*, 38 : 267-277.

COOK W.A. (1964), *On Tagmemes and Transforms*, Washington, The Georgetown University Press.

COSERIU E. (1967),"Sistema, norma y habla", dans *Theoria del languaje y linguistica general*, Madrid, Yesperia.

CUOQ J.A. (par N.O., ancien missionnaire) (1866), *Études philologiques sur quelques langues sauvages de l'Amérique*, Montréal ; réédition 1966, La Haye, Mouton.

DE RIJK P.G. (1968),"St. Augustine on Language",dans *Studies presented to Professor Roman Jakobson by his Students* (Cambridge, Mass.), p. 91-104.

DIEBOLD A.R. (1965),"A Survey of Psycholinguistic Research, 1954-1964", dans C.E. Osgood et T.A. Sebeok (éd.), *Psycholinguistics*, p. 205-291.

DINGWALL W.O. (1965), *Transformational generative grammar, a bibliography*, Washington, Center for Applied Linguistics.

  - (1966),"Recent Developments in Transformational-Generative Grammar", *Lingua*, 16 : 292-316.

DINNEN F.P. (1967), *An Introduction to General Linguistics*, Montréal, Holt Rinehart & Winston.

En coll. (1966),"Problèmes du langage", *Diogène*, n⁰ 51, Paris, Gallimard.

  - (1971), *Mathématiques et sciences humaines - Quelques aspects de la formalisation en linguistique*, n⁰ˢ 34 et 35, Paris, Gauthier-Villars.

EDGERTON F. (1943),"Notes on Early American Work in Linguistics", dans *Proceedings of the American Philosophical Society*, 87 : 25-34.

EGGER E. (1854), *Apollonius Dyscole : essai sur l'histoire des théories grammaticales dans l'antiquité*, Paris.

ELSON B. et B. PIXKETT (1962), *An Introduction to Morphology and Syntax*, Santa Anna, Californie, Summer Institute of Linguistics. (2e éd., 1964.)

FILLMORE C.J. (1968), "The Case for Case", dans E. Bach et R.T. Harms (éd.), *Universals in Linguistic Theory*, New York, Holt Rinehart & Winston.

FLEMING I. (1969), "Stratificational Theory : an annotated bibliography", *Journal of English Linguistics*, 3 : 37-65.

FODOR J.A. et J.J. KATZ (éd.) (1964), *The Structure of Language*, Englewood Cliffs, Prentice-Hall.

FRIES C.C. (1952), *The Structure of English, an Introduction to the Construction of English Sentences*, New York, Harcourt Brace & Co.

GLEASON Jr. H.A. (1961), *An Introduction to Descriptive Linguistics*, New York, Holt Rinehart & Winston; traduction française 1969, *Introduction à la linguistique*, Paris, Larousse.

- (1964), The Organization of Language : a Stratificational View, *MSLL*, 17 : 75-95.

- (1966), "la Grammaire générative", *Langages*, 4 (éd. par N. Ruwet).

GNIADEK St. (1955), "Les théories linguistiques du XVIIe siècle en France", *Kwartalnik Neo-filologiczny* (Warsaw), 2 : 100-109.

GODEL R. (1961), "L'École saussurienne de Genève", dans *Trends in European and American Linguistics*, p. 294-299.

GODFREY R.G. (1965), "Late Mediaeval Linguistic Meta-Theory and Chomsky's Syntactic Structures", *Word*, 21 : 251-256.

GROSS M. (1968a), *Grammaire transformationnelle du français. Syntaxe du verbe*, Paris, Larousse.

- (1968b), "Les modèles en linguistique", *Langages*, 9.

GROSS M. et A. LENTIN (1967), *Notions sur les grammaires formelles*, Paris, Gauthier-Villars.

GUILLAUME G. (1972), *Leçons de linguistique (1948-1949)*, Québec, Les Presses de l'Université Laval.

HALLIDAY M.A.K. (1961),"Categories of the theory of grammar", *Word*, 17 : 241-292.

- (1963),"Class in Relation to the Axes of Chain and Choice Language", *Linguistics*, 2 : 5-15.

HAMP E.P. *et al.*, éd. (1966), *Readings in Linguistics II*, Toronto, The University of Toronto Press.

HARRIS Z.S. (1946), "From Morpheme to Utterance", dans M. Joos (1966).

- (1951), *Methods in Structural Linguistics*, Chicago, The Chicago University Press. (Nouv. éd. : *Structural Linguistics* (1960).)

- (1957),"Co-occurrence and Transformation in Linguistic Structure", *Language*, 33 : 283-340.

- (1962),"String Analysis of Sentence Structure", dans *Papers on Formal Linguistics*, n° 1, La Haye, Mouton.

- (1963), "Discourse Analysis Reprints", dans *Papers on Formal Linguistics*, n° 2, La Haye, Mouton.

- (1968), *Mathematical Structures of Language* (Interscience tracts in pure and applied mathematics n° 21), Toronto, Interscience Pub.

- (1970),"Papers in Structural and Transformational Linguistics", Dordreich, Reidel.

HJELMSLEV L. (1969), *le Langage* (traduction française), Paris, Minuit.

- (1971), *Prolégomènes à une théorie du langage* (traduction française), Paris, Minuit.

HOCKETT C.F. (1954),"Two Models of Grammatical Description", dans M. Joos (1966).

HOCKETT C.F. (1958), *A Course in Modern Linguistics*, New York, MacMillan

- (1967), *Language, Mathematics, and Linguistics*, La Haye, Mouton.

- (1968), *The State of the Art*, New York, The Humanities Press.

HUNT H.J. (1938), "Logic and Linguistics, Diderot as grammarien-philosophe", *MLR*, 33 : 215-233.

HYMES D. (éd.), *Essays in the History of Linguistics*, Bloomington (Indiana). (A paraître.)

IZUI H. (1963), "Recent Trends in Japanese Linguistics", dans *Trends in Modern Linguistics*, p. 38-58.

JAKOBSON R. (1944), "Franz Boas' approach to language", *IJAL*, 10 : 188-195.

- (1964), "Towards a means-ends of Language in inter-war Linguistics", dans J. Vachek (1964).

JESPERSEN O. (1922), *Language : Its Nature, Development and Origin*, London, Allen & Yuwin.

- (1924), *The Philosophy of Grammar*, Londres, Allen & Yuwin; traduction française par A.M. Léonard, *la Philosophie de la grammaire*, Paris, Minuit.

- (1937), *Analytic Syntax, Transatlantic Series in Linguistics*, Montréal, Hold Rinehart & Winston (Ré éd. 1969).

JOOS M., éd. (1966), *Readings in Linguistics I*, 4e éd., Chicago, The University of Chicago Press.

KATZ J.J. ET P.M. POSTAL (1964), *An Integrated Theory of Linguistic Descriptions*, Cambridge (Mass.), The MIT Press.

KOUTSOUDAS A. (1966), *Writing Transformational Grammars, an Introduction*, New York, McGraw-Hill.

KUKENHEIM L. (1932), *Contributions à l'histoire de la grammaire italienne, espagnole et française à l'époque de la Renaissance*, Leiden, pub. de l'Université.

KUKENHEIM L. (1951), *Contribution à l'histoire de la grammaire grecque, latine et hébraïque à l'époque de la Renaissance*, Leiden, pub. de l'Université (publications romanes).

- (1962), *Esquisse historique de la linguistique française et de ses rapports avec la linguistique générale*, Leiden, pub. de l'Université (publications romanes n° 8).

LAKOFF G. (1971), *On Syntactic Irregularity*, Montréal, Holt Rinehart & Winston.

LAMB S.M. (1964), "On Alternation, Transformation, Realization and Stratification", *MSLL*, 17 : 105-122.

- (1966a), *Outline of Stratificational Grammar*, Washington, The Georgetown University Press.

- (1966b), "Epilegomena to a Theory of Language", *Romance Philology*, 19 : 531-573.

- (1967), "Review of Chomsky 1964 and 1965", *American Anthopologist*, 69 : 411-415.

LANCELOT C. et A. ARNAULD (1660), *Grammaire générale et raisonnée*, Menston, The Scolar Press Ltd. (Ré éd. 1967.)

LANGACKER R.W. (1967), *Language and its Structure*, New York, Harcourt Brace & World (2e éd. 1973).

- (1972), *Fundamentals of Linguistic Analysis*, New York, Harcourt Brace & World.

LANGENDOEN D.T. (1968), "The London School of Linguistics : A Study of the Linguistic Theories of B. Malinowski and J.R. Firth", dans *Research Monograph*, 46, Cambridge (Mass.), The MIT Press.

LAZARO CARRETER F. (1949), "Las ideas lingüisticas en España durante el siglo XVIII", *Revista de Filołojia Española An.*, 48.

LEHMANN W.P., éd. (1967), *A Reader in Nineteenth-Century Historical Indo-European Linguistics*, Bloomington, The Indiana University Press.

LEROY M. (1963), *les Grands Courants de la linguistique moderne*, 3e éd.,
Bruxelles, Les Presses de l'Université de Bruxelles.

LONGACRE R. (1960), "String Constituent Analysis", dans *Language*, 36 :
62-88.

- compte-rendu de Z.S. Harris (1963), "String Analysis of Sentence
Structure", *Language*, 39 : 473-478.

- (1965a),"Some Fundamental Insights of Tagmemics", *Language*, 41 :
65-76.

- (1965b),"Transformational Parameters in Tagmemic Field Structures",
MSLL, 18 : 43-58.

LOUCEL H. (1963),"L'origine du langage d'après les grammairiens arabes",
Arabica, 10 : 188-208, 253-281.

LUNT G., éd. (1964), *Proceedings of the Ninth International Congress
of Linguists*, La Haye, Mouton.

LYONS J. (1969), *Introduction to Theoretical Linguistics*, Cambridge,
The University Press.

- (1970), *New Horizons in Linguistics*, Middlesex, Pinguin.

MAKKAI A. et D.G. LOCKWOOD, éd. (1973), *Readings in Stratificational
Linguistics*, Alabama, The University of Alabama Press.

MALMBERG B. (1962), *Nya Vagar inom Sprakforskningen*, Stockholm; traduction française par J. Gengoux (1966), *les Nouvelles Tendances
de la linguistique*, Paris, P.U.F.

MARTINET A. (1946),"Au sujet des fondements de la théorie linguistique
de L. Hjelmslev", *BSL*, 42 : 19-42.

- (1960a), *Éléments de linguistique générale*, Paris, Collin.
(Nouvelle édition revue et augmentée, 1967, coll. U.)

- (1960b), "Elements of a Functional Syntax", *Word*, 16 : 1-10.

MARTINET A. (1962), *A Functional View of Language*, Oxford, The Oxford University Press; traduction française 1969, *Langue et fonction*, Paris, DeNoël.

- (1964), "Foundations of a Functional Syntax", *MSLL*, 17 : 25-36.

MATILAL B.K. (1966), "Indian Theories on the Nature of the Sentence (vakya)", *Foundations of Language*, 2 : 377-393.

MIEL J. (1969), "Pascal, Port-Royal, and Cartesian Linguistics", *Journal of the History of Ideas*, 30 : 261-271.

MILLER G.A. (1965), "The Psycholinguists : On the New Scientists of Language", dans C.E. Osgood et T.A. Sebeok (1965).

MOUNIN G. (1967), *Histoire de la linguistique des origines au XXe siècle*, Paris, P.U.F.

NEHRING A. (1953), "A Note on Functional Linguistics in the Middle Ages", *Traditio*, 9 : 430-434.

NIDA E. (1966), "A Synopsis of English Syntax", *JL*, 19, La Haye, Mouton.

OSGOOD C.E. ET T.A. SEBEOK, éd. (1954), "Psycholinguistics : A Survey of Theory and Research Problems", *IJAL*, Memoir 10, Bloomington, The Indiana University Press. (Ré éd. 1965 avec Diebold et Miller.)

PERCIVAL W.K. (1969), "Nineteenth Century Origins of Twentieth Century Structuralism", dans *Papers from the 5th Regional Meeting, Chicago Linguistic Society*, p. 416-420.

PETERS S., éd. (1972), *Goals of Linguistic Theory*, Englewood Cliffs, Prentice-Hall.

PIKE K.L. (1960), *Language in Relation to a Unified Theory of the Structure of Human Behavior*, Glendale, Summer Institute of Linguistics. (2e éd. rev. 1967, La Haye, Mouton.)

- (1964), "On Systems of Grammatical Structures", dans G. Lunt (1964), p. 145-153.

PIKE K.L. (1966), "A Guide to Publications related to Tagmemic Theory", dans T.A. Sebeok (1966), p. 365-394.

PINBORG J. (1962), "Das Sprachdenken der Stoa und Augustins Dialektik", *Classica et Mediaevalia,* 23 : 148-177.

PLATH W. (1961), "Mathematical Linguistics", dans *Trends in European and American Linguistics,* p. 21-57.

POTTIER B. (1964), *Introduction à l'étude des structures grammaticales fondamentales,* Nancy, pub. de la Faculté des lettres de l'Université de Nancy.

PRIETO L.J. (1964), *Principes de noologie,* La Haye, Mouton.

ROBINS R.H. (1963), "General Linguistics in Great Britain 1930-1960", dans *Trends in Modern Linguistics,* p. 11-37.

 - (1968), *A Short History of Linguistics,* Bloomington, The Indiana University Press.

ROBINSON J.J. (1968), *Alternative Dependency Rules equivalent to Rewriting Rules in Transformational Grammars,* IBM Research Report RC2062, Cambridge (Mass.), IBM.

ROCHER R. (1966), "Les grammairiens indiens, leurs buts et leurs méthodes", *Revue de l'Université de Bruxelles,* 18 : 1-11.

SALUS P.H. (1969a), "PRE-Pre-Cartesian Linguistics", dans *Papers from the 5th Regional Meeting, Chicago Linguistic Society,* p. 429-434.

 - (1969b), *On Language : Plato to von Humboldt,* Montréal, Holt Rinehart & Winston.

SANGSTER R. (1970), *The Linguistic Thought of Roman Jakobson,* The Indiana University. (Thèse.)

SAPIR E. (1921), *Language : An Introduction to the Study of Speech,* New York, Harcourt Brace & Jovanovich.

SAUSSURE F. (1916), *Cours de linguistique générale*, Paris, Payot (3e éd. rev., 1931); éd. critique de R. Engler, Wiesbaden, Otto Harrassowitz 1967-1968 (3 fasc. parus).

SEBEOK T.A., éd. (1966a), *Portraits of Linguists*, Bloomington, The Indiana University Press (2 vol.).

- éd. (1966b), *Current Trends in Linguistics, 3 : Theoritical Foundations*, La Haye, Mouton.

SIERTSEMA B. (1955), *A Study of Glossematics, Critical Survey of its Fundamental Concepts*, La Haye, Martinus Nijhoff.

SOMMERFELT A. (1961), "The French School of Linguistics", dans *Trends in European and American Linguistics*, p. 283-293.

SPANG-HANSSEN H. (1961), "Glossematics", dans *Trends in European and American Linguistics*, p. 128-164.

TEETER K.V. (1969), "Leonard Bloomfield's Linguistics", *Language Sciences*, 7 : 1-6.

TESNIÈRE L. (1959), *Éléments de syntaxe structurale*, Paris, Klincksieck.

THUROT C. (1869), *Extraits de divers manuscrits latins pour servir à l'histoire des doctrines grammaticales au moyen âge*, Paris. (Ré éd. 1964, Frankfurt.)

TOGEBY K.(1951), *Structure immanente de la langue française*, Copenhague, Nordisk og Kulturforlag. (2e éd. rev. 1965, Paris, Larousse.)

TRAGER G.L. et H.L. SMITH Jr. (1951), "Outline of English Structure", dans *Studies in Linguistics* (Occasional Paper 3).

ULDALL H.J. (1957), "Outline of Glossematics, Part I : General Theory", *Travaux du cercle linguistique de Copenhague*, 10 : 1-89.

VACHEK J., éd. (1964), *A Prague School Reader in Linguistics*, Indiana, The Indiana University Press.

- (1966), *The Linguistic School of Prague : An Introduction to Its Theory and Practice*, Bloomington, The Indiana University Press.

VIERTEL J. (1966), "Concepts of Language Underlying the 18th Century Controversy about the Origin of Language", dans *17th (Georgetown) Round Table Conference*, p. 109-132.

VIRIEUX-REYMOND A. (1966), "Quelques remarques à propos de la théorie du langage chez les stoïciens", dans *le Langage*, Actes du XIIIe Congrès des sociétés de philosophie de langue française (Neuchâtel).

WATERMAN J.T. (1957), "Benjamin Lee Whorf and Linguistic Field Theory", *Southwestern Journal of Anthropology*, 13 : 201-211.

WELLS R.S. (1947), "Immediate Constituents", *Language*, 23 : 81-117.

WOLFART H. Ch. (1967), "Notes on the Early History of American Indian Linguistics", *Folia Linguistica*, 1 : 153-171.

WOOLFSON A.P. (1970), "An Examination of Sapir's Concept of Language in the Light of Ethological Theory and Piagetian Developmental Psychology", *Language Sciences*, 11 : 8-10.

INDEX DES NOTIONS

TABLE DES MATIÈRES

Achevé d'imprimer
le 20 septembre 1973